Cathe

Vie de
David Hockney

Gallimard

Catherine Cusset est née à Paris en 1963 et vit à New York. Elle a publié de nombreux romans, dont *La blouse roumaine, En toute innocence, À vous, Jouir, Le problème avec Jane* (Grand Prix des lectrices de *Elle* 2000*), La haine de la famille, Confessions d'une radine, Amours transversales, Un brillant avenir* (prix Goncourt des lycéens 2008), *Indigo, Une éducation catholique, L'autre qu'on adorait* (finaliste du prix Goncourt 2016) et *Vie de David Hockney*, ainsi qu'un récit, *New York, journal d'un cycle*. Elle est traduite dans une vingtaine de langues.

Ce livre est un roman. Tous les faits sont vrais. J'ai inventé les sentiments, les pensées, les dialogues. Il s'agit plus d'intuition et de déduction que d'invention à proprement parler : j'ai cherché la cohérence et lié les morceaux du puzzle à partir des données que j'ai trouvées dans les nombreux essais, biographies, entretiens, catalogues, articles publiés sur et par David Hockney. Je livre un portrait qui est ma vision de sa vie et de sa personne, même si c'est lui, son œuvre, ses mots qui me l'ont inspirée. J'espère que l'artiste y verra un hommage.

Pourquoi Hockney ? Je ne l'ai pas rencontré. Il est étrange de s'emparer de la vie de quelqu'un de vivant pour en faire un roman. Mais c'est plutôt lui qui s'est emparé de moi. Ce que j'ai lu sur lui m'a passionnée. Sa liberté m'a fascinée. J'ai eu envie de transformer une matière documentaire qui laissait le lecteur à l'extérieur en un récit qui éclairerait son trajet de l'intérieur en s'en tenant aux questions essentielles, celles qui nouent l'amour, la création, la vie et la mort.

UN GRAND BLOND
DANS UN COSTUME BLANC

Son père était un pacifiste convaincu. Il avait vu ce que la Première Guerre avait fait à son frère aîné, qui avait été gazé et était rentré détruit, un fantôme. En 39 il s'opposa à la nouvelle guerre. Il perdit son travail, n'eut pas droit aux aides du gouvernement, se fit de nombreux ennemis, encourut le mépris des voisins. « Les enfants, ne vous occupez pas de ce que pensent les voisins. » Ce fut sa grande leçon de vie à ses quatre fils et à sa fille.

Il n'avait pas d'argent mais ne manquait pas de ressources. Il récupéra à la décharge de vieilles poussettes cassées qu'il répara, peignit et rendit comme neuves. Après guerre il fit de même avec les vélos. Petit, David ne vit rien de plus beau que le moment où le pinceau-brosse dans la main de son père entrait en contact avec le cadre d'une bicyclette. Le métal rouillé devenait rouge vif, en une seconde, comme par magie. Le monde changeait de couleur.

Il était fier de son père : un vrai artiste,

comme disait sa mère en fronçant les sourcils. D'une ingéniosité telle qu'il s'habillait avec élégance sans dépenser un sou : il collait sur ses cols ou ses cravates du papier qu'il ornait de pois et de raies de couleur vive. David admirait sa débrouillardise. Après avoir retapé ses vélos, Ken mettait une petite annonce dans la gazette, avec le numéro de la cabine à côté de chez eux, transportait un fauteuil dans la rue et s'installait confortablement avec son journal, sous un parapluie quand il pleuvait : c'était sa boutique. Le jour où il entreprit de redécorer la maison, il cloua des planches sur les portes et peignit des couchers de soleil. L'enfant ne se lassait pas de les contempler.

David avait un vague souvenir des avions volant au-dessus de leur tête et du jour où il avait été évacué avec ses deux frères, sa sœur aînée et sa mère enceinte de neuf mois, mais aucun de la terreur de son grand frère serrant la main de leur mère à l'écraser lors des bombardements, « S'il te plaît, maman, prie pour nous », ni de la bombe qui avait détruit plusieurs maisons dans leur rue et brisé les vitres de toutes celles qui étaient restées debout sauf de la leur. Ce fut une enfance de jeux en plein air avec ses frères et sa sœur, de balades dans les bois, de randonnées à vélo sur les routes de campagne, de dimanches au catéchisme – passés à dessiner, sur du papier qu'on leur donnait, ce qu'ils avaient entendu ce jour-là à la messe, Jésus marchant sur l'eau, Jésus ressuscitant les morts – et de camps scouts où il tenait le journal de bord en illustrant leurs activités. Le samedi son père les emmenait au cinéma voir Superman, Charlie Chaplin ou Laurel et Hardy. Il achetait les places à six pence, les moins chères, celles des trois premiers rangs, et l'écran était si proche que David avait l'impression d'être immergé dans le film. Pour Noël ils allaient à l'Alhambra où les pantomimes les faisaient s'étouffer de rire. Le dimanche ils avaient le droit d'inviter leurs amis aux thés que sa mère préparait. Une délicieuse odeur de gâteau à peine sorti du four emplissait la maison, la table se couvrait de brioches, de minisandwiches et de confitures, et la cuisine résonnait du rire des enfants qui pouvaient se servir autant qu'ils le voulaient, quatre, cinq ou six tranches.

David ne savait même pas qu'ils étaient pauvres. Son plus grand plaisir ne coûtait rien : prendre le bus (gratuit), monter à l'étage et se débrouiller pour obtenir une place devant à côté d'un homme qui lui soufflait sa fumée dans le nez ou d'une vieille dame qu'il forçait à déplacer son cabas en s'excusant poliment. Il regardait la rue, le paysage défiler au loin par l'énorme vitre. Adolescent il ressentit le même plaisir quand il poussait son vélo jusqu'au sommet de la colline de Garrowby sur le chemin de la ferme où il travailla deux étés de suite : d'en haut il pouvait voir toute la vallée d'York, un panorama de cent soixante degrés sans obstacle. Qu'y avait-il de plus beau ?

Il ne manqua de rien, sauf de papier. Pour un garçon qui aimait autant dessiner, la rareté du papier après guerre posait problème. Il remplissait les marges de tout ce qu'il trouvait, livres et cahiers d'écolier, journaux, bandes dessinées. Parfois un de ses frères s'exclamait, furieux : « T'as encore gribouillé la bulle ! Maintenant on ne peut plus la lire ! » Pouvait-on passer sa vie à dessiner ? Oui, si on était un artiste. Qu'était-ce qu'un artiste ? Quelqu'un qui fabriquait des cartes de Noël ou des posters pour le cinéma. Il y avait quarante cinémas dans leur ville et des affiches partout. David examinait attentivement l'homme incliné vers une femme sur fond de soleil couchant : il se sentait capable de faire pareil, ou mieux. Et le soir, ou le dimanche après l'église, il pourrait dessiner ce qu'il voulait, juste pour lui. Après avoir payé les factures, avec un peu de chance il lui resterait des sous pour acheter du papier. Ce serait une bonne vie.

Petit David rêvait.

Il n'était pas juste rêveur, mais aussi bon élève. Il avait obtenu une bourse pour le meilleur collège de la ville. À l'école on l'aimait bien parce qu'il était drôle et fort en dessin. Quand ses camarades lui demandaient un poster pour leur club, David ne refusait jamais. Ces œuvres étaient accrochées sur un tableau à l'entrée de l'école, qui était devenu son espace d'exposition privé. On les volait souvent, ce dont il n'était pas mécontent. En cours il dessinait au lieu de prendre des notes. Le jour où le professeur

14

d'anglais lui demanda de lire sa rédaction à voix haute et qu'il répondit qu'il ne l'avait pas écrite mais qu'il avait « fait ça », en montrant le collage élaboré d'un autoportrait qu'il avait passé l'heure à réaliser, il y eut une minute de suspense dramatique dans la classe avant que l'enseignant s'exclame : « Mais c'est merveilleux, David ! »

Une enfance heureuse. Bien sûr il se bagarra avec ses frères, se disputa avec ses amis et fut injustement puni. La rancœur ne durait pas. Jusqu'à quatorze ans, il ne connut pas la stupidité du monde.

Il avait presque quatorze ans quand le principal de son collège écrivit à ses parents pour leur recommander d'envoyer leur fils dans une école d'art. Même si David était parfaitement capable d'étudier les humanités dans un lycée normal, il était clair que le dessin était sa passion et son talent. Il fut immensément reconnaissant au principal qui l'avait si bien compris ainsi qu'à ses parents qui l'aimaient assez pour accepter son transfert dans une école professionnelle, donc moins cotée. Ils prirent rendez-vous aux Beaux-Arts de Bradford, ses dessins furent montrés et il fut admis. Comme il était boursier, il fallait juste obtenir l'autorisation du directeur de l'éducation de la ville. La réponse arriva un mois plus tard : « Après un examen attentif du dossier, le comité estime qu'il est dans l'intérêt de votre fils de compléter son cursus d'éducation générale avant de se spécialiser en art. »

Il n'y avait aucun recours possible. David devait aller au lycée qu'on lui avait assigné et, pendant deux ans, étudier les maths l'anglais l'histoire la géographie le français et la chimie du matin au soir. Pas de cours d'art, bien sûr. Ses parents tentèrent de le réconforter : deux ans passeraient vite. David n'avait jamais éprouvé une telle rage. Pour le bureaucrate qui avait signé cette lettre, deux ans n'étaient rien de plus que les deux secondes qu'avait pris sa signature. Qu'est-ce qui autorisait cet homme qu'il n'avait jamais rencontré à décider de sa vie ? Il montrerait au fasciste ce dont il était capable. Il cessa de travailler : ses notes dégringolèrent, les avertissements se multiplièrent. Il s'en moquait. Il serait expulsé et il perdrait sa bourse. Un beau gâchis, comme disaient ses professeurs. Tant mieux. Mais un ange veillait sur lui : sa mère, qui ne chercha pas à le raisonner. Elle alla frapper à la porte d'un de leurs voisins qui enseignait aux Beaux-Arts de Bradford et lui demanda s'il accepterait de donner des cours gratuits à son fils. L'élève était doué, le professeur agréa. Les cours du soir hebdomadaires créèrent le sas dont il avait besoin pour respirer, et ses notes remontèrent.

L'après-midi il allait parfois au cinéma au lieu de faire ses devoirs. Il avait trouvé le moyen d'entrer gratuitement en se postant près de la sortie et, dès que quelqu'un poussait la porte, en marchant vers l'intérieur à reculons pour donner l'illusion qu'il s'en allait. Un jour où l'absorbait un film noir américain avec Humphrey Bogart, il ne remarqua pas l'individu qui s'assit juste à côté de lui dans la salle presque vide. Une main s'empara de la sienne dans le noir et la posa sur quelque chose de chaud, de dur et de poilu. Le cœur de David battit à toute allure. Il avait peur mais ne résista pas. La main qui recouvrait la sienne la fit aller et venir de plus en plus vite jusqu'à ce que l'homme pousse un grognement. Il quitta la salle avant la fin de la séance. Quand David sortit, les joues en feu, les doigts poisseux, il ne pouvait penser à rien d'autre qu'à la scène qui venait de se produire. La peur n'était donc pas incompatible avec le plaisir ? C'était la chose la plus excitante qui lui fût jamais arrivée, et il ne pourrait rien en dire à sa mère. Ce qui procurait tant de plaisir pouvait-il être mal ? Ses camarades parlaient tout le temps de filles. Aucune fille ne lui avait jamais donné ce frisson.

Il eut seize ans et finit le lycée. Ni ses frères aînés ni sa sœur n'étaient allés à l'université. Paul, qui aimait aussi dessiner, aurait souhaité étudier le graphisme mais, dès la fin du secondaire, il avait dû trouver un emploi de clerc dans un bureau. Il aurait donc été injuste que le petit frère entre aux Beaux-Arts. « Pourquoi ne cherches-tu pas du travail dans une entreprise de graphisme publicitaire à Leeds ? » lui dit sa mère. David fit un portfolio de ses dessins, enfourcha son vélo et partit le montrer à d'éventuels employeurs dont il fut content de lui rapporter les paroles : « Il faudrait commencer par apprendre les bases, mon garçon. » Le jour où l'un d'eux lui offrit un stage non rémunéré pendant lequel il serait formé avec une garantie d'emploi à la clef, David répondit qu'il allait réfléchir. Il se garda d'en parler à sa mère.

Elle finit par céder. Elle écrivit pour lui au département d'éducation de la ville de Bradford, qui lui octroya une bourse de trente-cinq livres. C'était peu, mais son frère gagnait à peine le double pour un travail à mourir d'ennui. David passa l'été dans une ferme à lier et à stocker des épis de maïs, et il avait la peau tannée quand il entra aux Beaux-Arts de Bradford en septembre, dans la nouvelle tenue qu'il venait d'acheter à la friperie avec son père. Avec sa longue écharpe rouge, son costume rayé au pantalon trop court et son chapeau rond sur ses cheveux noirs, il avait l'air d'un paysan russe : ses camarades le surnommèrent Boris.

Ils pouvaient l'appeler comme ils voulaient et se moquer de lui : il était prêt à rire avec eux. Rien ne le contrariait. Après deux ans d'attente, il était enfin libre de se livrer à sa passion du matin au soir. L'école avait deux départements : peinture et graphisme. Quand le directeur lui demanda de choisir entre les deux, il dit sans hésiter : « Je veux être un artiste. — Vous êtes rentier ? » s'enquit le directeur, étonné. Ignorant le sens du mot, David ne put répondre. « Vous irez en graphisme, mon ami », conclut l'homme en croyant lui rendre service : c'était la branche commerciale de l'école et la garantie de bien gagner sa vie plus tard. Au bout de deux semaines, il demanda à être transféré. « Alors vous devrez suivre une formation de professeur », lui dit-on. Tout ce qu'ils voulaient, du moment qu'on le laissait peindre.

Le vieux voisin qui lui donnait des cours privés l'année précédente l'avait averti du danger qui guettait les étudiants des Beaux-Arts : l'oisiveté. David travaillait douze heures par jour. Il voulait tout apprendre. L'anatomie, la perspective, le dessin, la gravure, la peinture à l'huile. Copier des livres ou la nature. L'avis de ses maîtres sur son travail le passionnait car ils voyaient des choses qu'il n'avait pas remarquées, élargissaient et approfondissaient sa vision. Un jeune professeur, Derek Stafford, lui enseigna que le dessin n'était pas juste une imitation, mais un acte cérébral. Il fallait réfléchir, bouger, changer son point de vue, voir l'objet sous plusieurs angles. David n'avait jamais rencontré personne d'aussi intelligent et sophistiqué que Derek. Il n'était pas de Bradford. La guerre avait interrompu ses études dans la meilleure école d'art possible, le Collège royal de Londres. Il avait voyagé en France et en Italie, il avait tout lu. Il invitait les étudiants chez lui, leur offrait des cigarettes, leur faisait goûter du vin français et les laissait vomir dans sa salle de bains. Il leur disait d'aller à Londres, que c'était essentiel. Âgé de dix-huit ans, David se rendit pour la première fois dans la capitale avec les amis qu'il avait rencontrés aux Beaux-Arts. Ils firent du stop la nuit, arrivèrent dans la grande ville à l'aube, achetèrent un ticket pour la Circle Line qui tournait en boucle et dormirent dans le métro jusqu'à l'ouverture des musées. Il vit plus d'art en un jour que depuis sa naissance. Il découvrit Francis Bacon. Dubuffet. Et Picasso. Aux Beaux-Arts de Bradford il y avait un garçon qu'on appelait Picasso parce qu'il ne savait pas dessiner. David secoua la tête : ils se trompaient, l'homme savait dessiner !

Au bout de deux ans d'école, il eut l'audace de proposer deux tableaux à la galerie d'art de Leeds pour l'exposition bisannuelle des artistes du Yorkshire. Le pire qui pouvait se produire, c'était d'être refusé. À sa surprise, ses peintures furent acceptées. Il fallait donc oser, aller au-delà de ce qui se faisait ou ne se faisait pas, et les choses arrivaient. Il n'eut pas l'indécence de mettre un prix à ses tableaux : il n'était qu'un élève. Au vernissage où l'on servait des sandwiches et du thé gratuits, il sentit la joie d'une présence légitime dans cette galerie où son travail était exposé : il n'avait que dix-huit ans et il était l'un d'eux. Il avait convié ses parents : leur fierté à voir les deux œuvres de leur rejeton suspendues à côté de celles de ses maîtres redoublait la sienne. Peu après leur départ, un homme s'approcha de David et lui offrit dix livres pour le portrait de son père. Dix livres ! Plus du quart de sa bourse, de quoi vivre pendant trois mois, pour un tableau ? Il ouvrait la bouche pour dire oui quand il s'avisa que la toile ne lui appartenait pas : son père avait payé le

canevas, lui-même s'était contenté de le peindre.
« Un instant ! » Il se précipita pour téléphoner
à son père, qui fut satisfait d'apprendre qu'on
voulait acheter son portrait en dépit de la couleur boueuse que son fils lui avait appliquée sur
le visage contre ses meilleurs conseils sous prétexte qu'on peignait comme ça aux Beaux-Arts.
Ses dix livres en poche, David n'arrivait toujours
pas à y croire et appela sa mère : « Maman, j'ai
vendu papa ! » Elle se mit à rire. Il célébra l'événement en invitant ses camarades au pub le soir
même. La tournée lui coûta une livre, une folie,
mais il en restait neuf pour acheter de la peinture et des toiles.

Derek et Londres avaient élargi ses idées.
Il avait compris qu'on ne pouvait pas devenir
un artiste et rester à Bradford. Il fallait partir à
Londres, étudier dans une école d'art digne de
ce nom. Il passa deux étés de suite à peindre
d'après nature les rues de Bradford, en transpor-
tant ses couleurs et ses pinceaux dans une pous-
sette réparée par son père. Il supplia sa mère de
le laisser utiliser une pièce de la maison comme
atelier. Elle se fâchait quand il faisait des taches
de peinture sur le plancher et ne rebouchait
pas ses tubes, elle critiquait sa négligence, son
manque de respect pour le bien d'autrui, mais
il savait qu'elle dirait oui : elle était de son côté.
Au printemps 57, alors qu'il n'avait pas encore
vingt ans, le portfolio fut prêt. Il l'envoya au Collège royal de Londres ainsi qu'à une autre école
d'art, le Slade, pour accroître ses chances, car

le Collège royal n'acceptait qu'un étudiant sur dix. Il fut sélectionné pour passer un entretien et se rendit à Londres, incapable de dormir la veille de l'audition, conscient de son ignorance et de son infériorité par rapport à des rivaux qui avaient grandi au milieu des musées.

Il fut reçu.

Avant de pouvoir intégrer l'école, il devait faire son service militaire. Objecteur de conscience comme son père, il fut envoyé dans un hôpital en tant qu'aide-soignant, d'abord à Leeds puis à Hastings, et il passa deux ans à s'occuper du matin au soir de gens âgés et malades, à oindre de baume leurs corps décrépits et à laver les morts. Il n'avait pas le temps de peindre ni même celui de penser. Il s'endormait le soir en essayant de lire Proust sans y comprendre grand-chose. Il était conscient de sa chance : il ne ferait pas ce labeur épuisant et ingrat toute sa vie. Le Collège royal l'attendait.

Il y entra enfin.

Il se trouvait à Londres, dans la plus presti-gieuse école d'art d'Angleterre, une des meil-leures du monde. Ses nouveaux camarades étaient pleins de certitudes sur des sujets aux-quels il n'avait jamais réfléchi. Le jour où l'un d'eux s'écria : « On ne peut plus peindre comme Monet après Pollock ! », David rougit comme si l'on parlait de lui. Il découvrit que le figuratif appartenait au passé, qu'il était antimoderne. La peinture française n'intéressait aucun des autres élèves. Il aurait eu honte de leur montrer le portrait de son père qu'il avait été si fier de vendre quatre ans plus tôt et qu'il avait réalisé dans la veine de l'école d'Euston Road ou d'artistes français comme Vuillard et Bonnard. Seule comptait aujourd'hui la peinture abstraite américaine : de larges tableaux qui ne représentaient rien, auxquels des chiffres servaient de titres. David avait vu, bien sûr, la grande exposition d'expressionnisme abstrait à la Tate Gallery pendant l'hiver 59 et découvert De Kooning, Pollock, Rothko, Sam Francis et Barnett Newman. Cette exposition, puis celles de la Whitechapel Gallery avaient bouleversé sa conception de l'art. On était contemporain ou rien.

Quelle serait sa première œuvre ? Surtout pas de peinture figurative. Il avait déjà un fort accent du Yorkshire, il était terrifié à l'idée qu'on le prenne pour un provincial, pour un peintre du dimanche. Il devait trouver un terrain sûr : le dessin. Un squelette humain suspendu dans une des salles lui fournit l'inspiration. Un squelette, c'était original. Un grand dessin avec tous les détails révélerait sa formation parfaite en anatomie et en perspective.

Tout le monde remarqua son squelette. Un tour de force, lui dit-on. Il avait réussi la première épreuve, ne s'était pas ridiculisé. Il se sentit un peu plus à l'aise. Un de ses camarades lui en offrit même cinq livres. Un Américain, un étudiant riche, un ancien GI venu à Londres grâce à une bourse généreuse de l'armée. Il fallait être américain pour payer cinq livres un dessin d'élève. Ron avait cinq ans de plus que lui, il était marié, il avait un bébé. Il vivait dans une vraie maison, contrairement à David qui partageait une chambre minuscule avec un autre étudiant dans le quartier animé d'Earls Court. Ron peignait lentement et se souciait peu de ce que les autres pensaient. Son indépendance d'esprit rappelait à David l'obstination de son père. Ils devinrent amis. Ils arrivaient tous deux à l'école de bon matin, plus tôt que les autres élèves, et buvaient un thé ensemble avant de se mettre au travail. Ils parlaient d'art, d'histoire de l'art, d'art contemporain. David savait depuis longtemps que les peintres qu'il avait connus à Bradford, même ses professeurs aux Beaux-Arts, n'étaient pas des artistes. Il comprenait enfin pourquoi : ils ne s'interrogeaient pas sur leur place dans l'histoire de l'art. On ne pouvait pas être un artiste sans se poser cette question fonda-mentale et y trouver une réponse. Il n'avait plus rien de commun avec l'innocent qui passait des étés heureux à se balader en poussant son lan-dau rempli de tubes de peinture et de pinceaux et en s'arrêtant ici et là pour peindre un arbre ou une maison. Le figuratif, c'était bon pour les fabricants de posters et de cartes de Noël. Il avait frôlé le piège mais la nouvelle atmosphère dans laquelle il baignait avait dessillé ses yeux : il serait moderne. Ron hochait la tête et souriait.

David aurait dû être heureux. Il avait tout fait pour être accepté dans cette école. Le jour des résultats, il avait eu l'impression de passer par le chas d'une aiguille, d'entrer au paradis, de se sauver de cette vie d'employé qui était celle de ses frères, de sa sœur et de ses voisins de Bradford. Pendant les deux ans où il avait travaillé à l'hôpital, il avait rêvé de sa future existence et construit en lui une attente patiente, sachant que viendrait le moment de la délivrance qui le sortirait d'un siècle de sommeil. Il était enfin libre et ce bonheur entrevu, désiré, maintenant à sa portée, lui échappait. Pour la première fois, il n'avait plus de joie à peindre. Il se sentait étrangement détaché de son travail, sans énergie et sans enthousiasme. Peut-être s'était-il trompé. Peut-être n'était-il qu'un imposteur. L'Américain écoutait son jeune ami de vingt-deux ans déverser ses angoisses, totalement perdu. Ils abordaient aussi d'autres sujets, la politique, la littérature, l'amitié, l'amour, le régime végétarien dont David était un adepte, comme ses parents. Ses conversations quotidiennes avec Ron lui permettaient au moins de se sentir moins seul.

« Ce que tu devrais peindre, lui dit Ron un jour, c'est ce qui compte pour toi. Tu n'as pas besoin de t'inquiéter. Tu es nécessairement contemporain. Tu l'es, puisque tu vis dans ton époque. »

L'idée était intéressante. Inutile de chercher à appartenir à son temps : on y appartenait par nécessité. Les figures de Ron n'avaient en effet pas l'air d'avoir été peintes à l'époque de Manet ou de Renoir. De toute façon, quelque chose devait changer. Si David ne retrouvait pas le plaisir de peindre, il finirait comme un vieux citron desséché abandonné sur un comptoir de cuisine. Justement, il avait envie de représenter des légumes. Personne ne pourrait l'accuser d'être antimoderne, car leurs formes rondes avaient l'air respectueusement abstraites. Mais dans son esprit, c'étaient des légumes. Puis il peignit la boîte de thé Typhoo dans laquelle il prenait un sachet chaque matin quand il arrivait à l'école, cette boîte de thé qui lui rappelait sa mère et qui saluait chaque nouvelle journée. En plus des mots « Typhoo Tea », il eut l'idée d'ajouter une lettre ou un chiffre ici et là qui forçaient à s'approcher du tableau pour les décrypter. C'était un peu d'humanité qu'il passait en contrebande. Les lettres et les chiffres engageaient le spectateur au lieu de le laisser à distance comme une peinture abstraite.

Ron partageait son coin d'atelier dans le couloir avec un autre étudiant, et quand David allait le voir l'après-midi, il bavardait aussi avec son voisin. Adrian était gay. Le premier homme ouvertement gay que David, à vingt-deux ans, ait jamais rencontré. Il savait depuis longtemps qu'il aimait les hommes, mais son activité sexuelle était quasi inexistante, se limitant à de rares rencontres furtives dont il ne parlait à personne dans des endroits où il allait seul. Le jour où un de ses camarades lui avait dit : « Je t'ai vu dans ce pub avec ce type et j'ai vu ce que vous faisiez ! », il avait rougi, terriblement embarrassé par la malheureuse coïncidence qui avait amené un étudiant de sa connaissance dans le bar pourtant éloigné de leur école où le pelotait un inconnu rencontré une heure plus tôt dans un cinéma de Leicester Square. Après coup, sa propre réaction l'avait mis en colère. Aurait-il rougi si l'étudiant l'avait surpris avec une fille ? D'ailleurs, celui-ci aurait-il dit quelque chose ? Qu'est-ce qui lui donnait le droit de s'adresser à lui avec cette familiarité moqueuse ? David avait peint un tableau qu'il avait appelé *Honte*, sans autre forme identifiable que celle d'un pénis en érection au premier plan. Tandis qu'il écoutait Adrian lui raconter sans retenue ses aventures homosexuelles, il songea : « Voilà comment je veux vivre. » Adrian lui conseilla de lire le poète américain Walt Whitman, que David connaissait, et le poète grec Constantin Cavafy, dont il n'avait jamais entendu parler.

L'été de ses vingt-trois ans, il lut Whitman et Cavafy. Les livres de Whitman étaient faciles à trouver, pas ceux de Cavafy. À la bibliothèque municipale de Bradford, ils n'étaient pas rangés dans les rayons : il fallait les sortir d'une salle spéciale, l'« enfer » de la bibliothèque. Quand il tendit la cote à l'employée, elle lui jeta un regard soupçonneux, comme si le fils prodigue parti vivre à Londres et donc certainement débauché s'apprêtait à lire ce livre d'une seule main, l'autre servant à le décharger de la tension que provoquerait la lecture. À la fin de l'été, il ne put se résoudre à le rapporter. Ce n'était pas juste la crainte d'affronter à nouveau les sourcils froncés de la bibliothécaire. Il ne pouvait se séparer de Cavafy : le livre lui appartenait.

Il aima tout de suite l'humour du poète grec. L'un de ses poèmes préférés était « En attendant les barbares », avec son refrain « Les barbares arrivent aujourd'hui » et son dernier vers qui dévoilait l'absence des barbares dont on craignait tant l'arrivée : « Ces gens étaient une sorte de solution. » Comme c'était vrai, et comme on cherchait tout le temps des prétextes hypocrites ! Comme les gens manquaient d'audace et de liberté ! Les deux poètes, l'Américain et le Grec, exprimaient tout ce qu'il sentait dans des mots simples qu'il pouvait comprendre, contrairement à Proust dont la signification lui avait échappé. « Et cette nuit son bras reposait légèrement sur ma poitrine – et cette nuit j'étais heureux », écrivait Whitman en parlant de l'amour de deux hommes. Pour la première fois depuis un an, David n'avait plus de doute : il fallait peindre ce qui comptait pour lui. Il venait d'avoir vingt-trois ans. Il n'y avait rien de plus important que le désir et l'amour. Il fallait contourner l'interdit, le représenter en images comme Whitman et Cavafy l'avaient fait en mots. Personne ne pouvait l'y autoriser – aucun professeur, aucun autre artiste. Cela devait être sa décision, sa création, l'exercice de sa liberté.

De retour au Collège, il réalisa une série de tableaux où se glissèrent des mots et même des phrases dont certaines venaient de Walt

Whitman, comme *We two boys together clinging*, et d'autres de graffitis qu'il avait lus sur la porte des toilettes pour hommes à la station de métro d'Earls Court, comme « Appelle-moi au… » ou « Mon frère n'a que dix-sept ans ». Géométriques comme des dessins d'enfants, les figures étaient identifiables grâce aux cheveux, aux bouches, aux dents, aux oreilles de diablotin, aux pénis en érection. Pour se mettre lui-même en scène dans ses tableaux, il emprunta à Whitman un code enfantin qui consistait à remplacer par des chiffres les lettres de l'alphabet, traçant sur la toile, en tout petit, les chiffres 4.8 qui désignaient ses initiales, et les nombres 23.23 pour Walt Whitman. Les indices étaient si petits, si légers, qu'on pouvait choisir de ne pas les voir et interpréter les nouvelles œuvres de David dans un contexte purement artistique en y décelant l'influence de Pollock ou de Dubuffet. Ses professeurs n'y voyaient que du feu (si l'on peut dire). C'était une excellente façon de duper le système.

Il n'éprouvait plus le vague à l'âme de l'année précédente et ne cessait de peindre, un tableau après l'autre. Il avait établi une routine : il arrivait tôt, quand il n'y avait encore personne à l'école sauf Ron, et il peignait au calme pendant deux heures avant l'arrivée des autres. Vers quinze heures, quand ses condisciples quittaient leur chevalet pour le thé, David s'éclipsait et allait au cinéma, seul ou avec la petite amie d'un de ses camarades, Ann, une jolie étudiante rousse qui aimait les films américains autant que lui. Il retournait au Collège à l'heure où les élèves le quittaient, et il travaillait tard dans la nuit, tranquille. De toute façon, il n'avait nulle part où aller. Il avait quitté la minuscule chambre partagée afin d'occuper, pour le même prix, un cabanon dans le jardin de la maison. Il se réjouissait d'être seul, mais le confort était si rudimentaire qu'il ne pouvait y faire autre chose que dormir.

Un nouvel élève était arrivé en septembre, Mark, américain, ouvertement gay comme Adrian, qui avait apporté d'Amérique quelque chose que David s'empressa de lui emprunter : des magazines remplis de photos de jeunes hommes blonds et musclés en slip, et dont les sous-vêtements révélaient davantage qu'ils ne dissimulaient. Tout en les feuilletant et en sentant son désir éveillé par les images, David se demanda à nouveau pourquoi quelque chose d'aussi beau, qui donnait tant de plaisir, devrait être caché. Ces revues étaient imprimées aux États-Unis. Deux de ses trois amis les plus proches au Collège étaient américains. Il n'avait jamais rencontré d'homosexuel dans la ville où il avait grandi, et tout rapport sexuel entre deux hommes adultes et consentants était considéré comme un crime par le code pénal britannique. Les jeunes hommes blonds qui montraient triomphalement leurs biceps sur les pages de *Physique Pictorial* lui donnaient envie de s'envoler immédiatement pour l'Amérique. « Si tu viens un jour à New York, tu es le bienvenu chez moi », lui avait dit Mark, comme si l'on pouvait monter dans un train et se rendre à New York aussi facilement qu'à Bradford. Un billet d'avion coûtait sans doute des centaines ou des milliers de livres. C'était un autre univers. David n'avait jamais quitté l'Angleterre.

Il était reconnaissant à Mark, à Adrian, à Ron, pour ce vent de liberté qu'ils soufflaient sur sa vie. Quand il rentrait chez lui à Noël ou à Pâques, il était content de revoir ses parents et de bavarder avec ses frères et sa sœur autour d'un bon repas végétarien cuisiné par leur mère. Ils lui demandaient de raconter sa vie dans la grande ville et David leur expliquait ce qu'était l'expressionnisme abstrait américain ; il parlait de l'exposition des Jeunes Artistes contemporains pour laquelle les critiques d'art avaient créé l'expression « pop art » et du jeune marchand d'art qui avait beaucoup apprécié les quatre tableaux qu'il avait exposés afin de démontrer sa virtuosité picturale : c'était prometteur. Mais comment aurait-il pu mentionner les photos de *Physique Pictorial*, l'homosexualité de Mark et d'Adrian, les hommes dont il croisait le regard dans les toilettes du métro et son désir d'utiliser la peinture pour évoquer une réalité dont il n'avait pas le droit de parler ? Son frère aîné était marié ; le cadet était fiancé. Aucun d'eux ne lui demandait s'il avait une bonne amie. Le sujet n'était jamais abordé, comme si un artiste n'avait pas de corps – ou plutôt, comme s'ils savaient, mais ne voulaient pas savoir.

Il avait un corps, pourtant. Ainsi qu'un cœur.

Une nuit au Collège royal, à la fin d'une soirée bien arrosée, un de ses camarades lui fit
une démonstration d'une nouvelle danse qu'on
appelait le cha-cha-cha. David le regardait en se
balançant sur sa chaise, et quand Peter lui sourit
en lui tendant la main pour l'inviter à danser,
ce sourire le pénétra et l'irradia soudain. Coup
de foudre. C'était un coup, vraiment, puisqu'il
en resta tout étourdi, les oreilles bourdonnantes.
Il n'avait pas envie de danser. Il préférait regarder. Il demanda une autre démonstration, puis
encore une autre, sans quitter des yeux le gra-
cieux corps, les hanches qui pointaient tour à
tour à gauche et à droite, et les lèvres sensuelles
tendues comme pour un baiser tandis que le
garçon lui faisait face et chantait « cha-cha-cha ».
Peter était plus sexy que Marilyn, plus sexy que
la poupée vivante de la chanson de Cliff Richard
que David aimait tant, *Living Doll*. Un garçon
poupée. David aurait donné son royaume pour
un baiser mais ne le demanda pas, il était timide
et poli, et surtout il savait que Peter avait une
petite amie. Pendant des mois la vision de Peter
dansant pour lui, de ses hanches gracieuses et
de ses lèvres tendues le hanta jour et nuit. Voilà
ce qu'il aurait voulu mettre dans ses peintures,
ce désir brûlant en lui, désir du désir de Peter
et désir de sa chair, un désir qui le scindait
en deux puisqu'il y avait le sexe d'un côté et
l'amour de l'autre, et que les deux ne pouvaient
pas être réconciliés. Ils ne se rejoignaient que

lorsqu'il était devant son chevalet, et il se sentait vivant et plein de désir alors qu'il peignait *Le cha-cha-cha dansé aux petites heures du 24 mars 1961* et représentait le mouvement du corps de Peter, utilisant de vifs rouge, bleu et jaune pour le fond et écrivant en toutes petites lettres ici et là « J'aime chaque mouvement », « pénètre profondément » et « soulage immédiatement ». Ce n'était pas un tableau. C'était la vie.

Il avait tant peint pendant l'automne que l'hiver venu, telle la cigale qui a chanté tout l'été, il se retrouva sans un sou pour acheter des toiles ou de la peinture. Il y avait heureusement le département d'art graphique, qui donnait du matériel gratuit. David n'avait pas le choix. Mais dans ses gravures comme dans ses peintures, il fit ce qui l'intéressait, gravant ses visions inspirées par Whitman ou par Cavafy. En avril un camarade lui proposa pour quarante livres un billet d'avion pour New York, dont il n'avait pas l'usage. Quarante livres pour voler vers New York ? C'était une offre qu'on ne pouvait pas refuser. Il trouverait l'argent. Il travaillerait pour le rembourser.

Ce jour pluvieux d'avril, il avait dix shillings en poche – tout l'argent qui lui restait – quand il quitta son cabanon au fond du jardin de la maison d'Earls Court. Il pleuvait à torrents. Un taxi stationnait de l'autre côté de la rue. La course jusqu'au Collège valait cinq shillings, la moitié de sa fortune, tandis que le métro, qui n'était pas loin, ne coûtait que quelques pence, mais il lui faudrait encore marcher dix minutes jusqu'à l'école. Il eut soudain envie de faire ce que faisaient tant de Londoniens sans se poser de question : traverser la rue, ouvrir la portière du taxi, entrer dans l'habitacle sec et confortable, s'asseoir sur le siège rembourré, et dire d'une voix pleine d'autorité naturelle : « Au Collège royal, s'il vous plaît. » C'est ce qu'il fit.

À l'école, une lettre l'attendait. Alors qu'il déchirait l'enveloppe et en sortait la feuille pliée en trois, un papier tomba par terre. Il le ramassa. C'était un chèque de cent livres à son nom. Il fronça les sourcils et relut le nom, persuadé que son imagination lui jouait des tours. Dans la lettre, un certain M. Erskine, dont il n'avait jamais entendu parler, le félicitait pour le prix que sa gravure *Trois rois et une reine* venait de remporter. David avait bien fait une gravure qui portait ce titre, mais il ne l'avait jamais soumise à aucun concours. C'était incompréhensible. Un miracle, ou une blague des cieux. Il avait décidé de dépenser ses derniers sous sur un coup de tête sans se soucier de l'avenir, et une bonne fée le récompensait en lui en envoyant cent fois plus. Plus tard dans la journée il apprit que la bonne fée était un professeur du département de gravure qui avait trouvé l'œuvre de David sur une étagère et l'avait fait parvenir au jury sans même le consulter, mais il secoua la tête. De toute évidence, c'était grâce au taxi.

Juste avant l'été il réussit à vendre quelques toiles et quelques estampes. En juillet il s'envola pour New York, tout juste âgé de vingt-quatre ans et riche de trois cents livres. Il débarqua à l'aéroport Kennedy où l'accueillit Mark.

Il n'avait jamais connu pareille chaleur, humide, lourde, insupportable, et il transpirait tant que sa chemise collait en permanence à sa peau, mais c'était la ville dont il avait rêvé, lumineuse, bruyante, vivante, où l'on pouvait acheter de la bière ou le journal à trois heures du matin. Il y avait tant de bars gay ! Et tant de restaurants végétariens ! Tant de musées aussi, et bien sûr il s'y rendit, mais il n'était pas venu pour ça. Times Square, Christopher Street, l'East Village. Les cinémas, les sex-shops, les clubs, les pontons sur les rives de l'Hudson où les hommes étaient torse nu, tout ce débraillé de l'été torride. Il logeait chez Mark dont les parents avaient une maison à Long Island, et rencontra un de ses amis, Ferrill, qui devint son amant. Son premier amant, dont il n'avait pas à se cacher. Il avait deux guides pour lui faire découvrir le New York gay.

Un après-midi, chez Mark, une publicité à la télé attira leur attention. On y voyait une jeune fille aux cheveux d'un blond doré artificiel descendre d'un avion et sauter dans les bras d'un homme, jouer au billard, et courir, un chien à ses côtés, un sourire radieux aux lèvres, chevelure au vent, tandis qu'une voix de femme demandait : « Est-ce vrai que les blondes s'amusent davantage ? » Un narrateur masculin interrompait alors la musique : « Le blond Clairol, c'est une façon de vivre. Amusez-vous ! »

Les trois garçons, qui adoraient le film *Certains l'aiment chaud*, inspiration évidente pour cette publicité, se regardèrent.

Un quart d'heure plus tard ils ressortaient du drugstore avec un sac contenant le produit magique. Tordus de rire, ils lurent les instructions, firent les mélanges dans la salle de bains, se déshabillèrent et se shampouinèrent avec sous la douche. La métamorphose eut lieu sous leurs yeux. Ils devinrent trois grands blonds peroxydés. Ils rirent aux larmes, surtout quand le père de Mark, rentrant de son cabinet en fin de journée, vit les trois créatures affalées sur son canapé et faillit avoir une crise cardiaque. Il était clair que les blondes s'amusaient davantage.

David se regardait dans le miroir et n'en croyait pas ses yeux. C'était comme le taxi de Londres. De la magie. On agissait sur un coup de tête sans penser aux conséquences, juste pour s'amuser, et on gagnait. Voilà le secret de la vie. Il venait de se transformer en blond comme les mannequins de *Physique Pictorial*. Jusque-là il ne s'était trouvé ni beau ni laid – on lui avait dit qu'il était mignon –, mais il était soudain devenu quelqu'un d'autre, un homme à la blondeur frappante, qu'on ne pouvait pas ne pas remarquer. Il aimait la nouvelle teinte de ses cheveux, non parce que « les blondes s'amusent davantage », mais parce qu'il s'était recréé. Il était sa propre invention. Il venait de renaître. Cette couleur déclarait son identité gay – son moi le plus vrai, le plus intime – et en même temps c'était un artifice, un masque, un mensonge. La nature et l'artifice n'étaient donc pas opposés, pas plus que la figure et l'abstraction, la poésie et les graffitis, la citation et l'originalité, le jeu et la réalité. On pouvait tout combiner. La vie, comme la peinture, était une scène sur laquelle on jouait.

Un été extraordinaire. Il quitta la maison des parents de Mark, que les excentricités des amis de leur fils commençaient à fatiguer, et s'installa à Brooklyn où Ferrill possédait un deux-pièces confortable avec une moquette épaisse où les pieds s'enfonçaient, une télévision et une vraie salle de bains. David n'avait jamais vu personne d'aussi jeune habiter dans un endroit si luxueux. Mais la façon dont Ferrill vivait le surprit encore davantage : on entrait chez lui comme dans un moulin, on prenait une douche avec lui, on se glissait dans son lit. De l'amour libre, sans lien, sans jalousie, sans culpabilité. Juste du plaisir à donner et à prendre. C'était la vie que David voulait. Adieu Bradford ! Même Londres avait l'air sinistre par comparaison.

Quand il finit par contacter le directeur du département de gravure du Musée d'art moderne de New York, dont M. Erskine lui avait donné le nom, une nouvelle surprise l'attendait : non seulement l'homme savait qui il était et se disait impatient de le rencontrer – il avait reçu une lettre d'Erskine recommandant son brillant protégé –, non seulement il regarda les gravures que David avait apportées de Londres, mais il les acheta ! David n'en revenait pas. Il était encore étudiant et le Musée d'art moderne de New York acquérait ses gravures. Quelle générosité, et comme la vie était facile en Amérique !

Cet argent arrivait à point nommé car il n'avait plus rien. Il put ainsi s'acheter un costume américain à la coupe décontractée, de couleur claire, à la mode de cet été-là. Et un minitransistor, pour imiter les Américains qu'il avait d'abord crus sourds comme son père en voyant dans leur oreille un petit appareil, jusqu'à ce que Ferrill lui explique qu'ils étaient simplement branchés jour et nuit sur de la musique. Un nouvel homme rentra à Londres en septembre. Un grand blond dans un costume blanc. Et il rapporta dans ses bagages quelques idées. Il allait faire un très grand tableau, à la façon des peintres abstraits américains, afin de s'assurer un vaste espace dans l'atelier du Collège ; seulement ce ne serait pas un tableau abstrait, mais avec des figures. Inspiré par les antiquités égyptiennes du Metropolitan Museum, par Dubuffet et par le poème de Cavafy « En attendant les barbares », il peignit un cortège de trois personnes qu'il intitula *Une grande procession de dignitaires peinte dans un style semi-égyptien* en écrivant le titre sur la toile pour qu'il soit bien clair qu'il ne se prenait pas au sérieux et que tout cela était un jeu. Un titre de cette longueur avait un autre avantage : en occupant plusieurs lignes dans le catalogue des œuvres exposées au Collège, il se ferait remarquer. Malin comme son père, David avait compris que le succès ne tombait pas du ciel. Il avait admiré à New York ce qu'en Angleterre on aurait taxé de mauvais goût : l'aisance avec laquelle les Américains savaient se vendre, sans se laisser empêtrer dans la fausse honte et la mauvaise conscience. Après avoir attiré l'attention des critiques, il fallait la retenir. Un grand blond dans un costume blanc qui ne cachait pas sa sexualité déviante, voilà qui les intriguerait plus qu'un peintre originaire de Bradford dans l'ouest du Yorkshire !

Il s'amusait beaucoup. Sous le titre *Brossage de dents, début de soirée,* il peignit tête-bêche deux figures en remplaçant leurs pénis par des tubes de dentifrice Colgate (l'hygiène buccale était une vraie obsession aux États-Unis). C'était parfaitement obscène et très drôle. Dans le département de gravure, il entreprit sa propre version de *La carrière d'un libertin,* la série de gravures réalisées par le peintre du XVIIIe siècle William Hogarth, qui représentait la déchéance d'un jeune homme débarqué dans la grande ville et tombé dans le vice. La référence à cette œuvre classique lui permettait de raconter sur un mode ludique ses propres aventures new-yorkaises : son arrivée en avion, la vente de ses gravures au directeur du MoMA, les Américains musclés qui faisaient leur jogging en débardeur dans Central Park sous les yeux de ce gringalet de David, les rencontres entre hommes dans les bars gay, les cheveux teints en blond Clairol qui lui ouvraient les portes du paradis, et même les minitransistors sur lesquels étaient branchés tous les Américains comme s'ils avaient perdu leur individualité… Son trait parfait lui valut l'éloge de ses vieux professeurs.

Tout lui souriait. Il osa même dire à l'administration du Collège royal qu'il ne voulait plus des grosses femmes laides de quarante ans qu'on leur proposait comme modèles. Manet, Degas et Renoir ne seraient jamais devenus Manet, Degas et Renoir s'ils n'avaient pas été inspirés par leurs modèles. Il exigea un homme et l'école, lasse de son insistance, finit par céder. Comme personne d'autre ne voulait peindre d'homme nu, David embaucha pour son usage personnel, avec l'argent du Collège royal, un garçon sympathique originaire de Manchester qu'il venait de rencontrer. Mo lui présenta deux amis qui devinrent bientôt les siens, Ossie et Celia, des étudiants en stylisme. Il eut une liaison avec Ossie, un garçon encore plus fou que lui, qui couchait aussi avec Celia. Bisexuel : encore un nouveau concept. David vivait maintenant à Londres avec la liberté qu'il avait découverte à New York. C'était cela, la vie de bohème dont les récits d'Adrian et de Mark l'avaient fait rêver : ne pas avoir peur d'être soi-même quand on était différent. La tolérance était la vertu de ceux que la norme sociale et la réprobation morale avaient contraints à se cacher alors qu'ils ne nuisaient à personne.

Il n'était pas encore sorti de l'école que le jeune marchand d'art qui avait admiré son travail l'année précédente lui offrit un contrat : il lui donnerait six cents livres par an en échange d'une exclusivité, et davantage si les tableaux se vendaient. David n'en croyait pas sa chance. Tous les autres artistes représentés par Kasmin faisaient de la peinture abstraite et étaient déjà connus ; il était le plus jeune et le seul peintre figuratif. C'était certainement l'effet des cheveux blonds et du costume blanc. Cet été-là, il n'eut pas besoin de travailler à distribuer le courrier. Il partit en Italie avec un garçon juif américain rencontré à New York, Jeff. À l'automne il put enfin quitter la cabane au fond du jardin et emménager dans un deux-pièces bon marché au rez-de-chaussée d'un immeuble à Notting Hill, tout près de chez ses amis Michael et Ann. Ossie et Celia le rejoignirent bientôt dans le quartier. Il était chaud – la maison d'en face servait de boîte de nuit et de maison de passe, il s'en échappait un bruit infernal et constant – mais c'était la première fois que David avait, au centre de Londres, un lieu à lui où vivre, travailler, écouter des opéras à plein volume. Et ses meilleurs amis habitaient tout près. Son appartement devint vite le centre de la vie sociale : sa porte était toujours ouverte, on entrait chez lui comme dans un moulin – comme chez Ferrill à Brooklyn.

Quand il reçut une lettre du directeur du Collège royal l'informant que sa thèse sur le fauvisme était jugée insuffisante et qu'il ne pourrait donc pas recevoir son diplôme, il poussa un juron de colère puis se mit à rire. Il n'était pas faux qu'il avait bâclé ce mémoire, parce qu'il fallait le rendre. De toute façon Kasmin ne demandait pas à voir ce papier officiel. Ainsi allait le monde. Il y avait d'un côté les administrateurs, les esprits étroits qui jugeaient et condamnaient rapidement, tous ceux qui avaient peur de vivre ; et de l'autre l'art, l'instinct, le désir, la liberté et la foi dans la vie. Il avait bien raison de se moquer de ces tracas administratifs, puisque le directeur du département de peinture, qui voulait octroyer une médaille d'or à son meilleur élève et ne pouvait le faire sans qu'il ait obtenu son diplôme, contraignit le Collège à faire machine arrière. David n'avait rien contre la médaille : elle impressionnait les gens et rendit ses parents heureux.

Quand un galeriste qui organisait une exposition collective demanda aux artistes d'évoquer la source de leur inspiration, il écrivit : « Je peins ce que je veux, quand je veux, où je veux. »

Tout pouvait être le sujet d'une peinture : un poème, quelque chose qu'on voyait, une idée, un sentiment, une personne. Tout, vraiment. C'était ça, la liberté. Derek, autrefois, lui avait dit de se débarrasser de son image de clown s'il voulait qu'on prenne au sérieux son travail. Mais non : on pouvait être à la fois un clown et un peintre sérieux !

L'été de ses vingt-six ans, il retourna à New York, sur le *Queen Elizabeth* cette fois, pour finir les gravures de *La carrière d'un libertin* et revoir Jeff, l'Américain avec qui il avait voyagé en Italie

l'été précédent. Un après-midi, chez Andy Warhol où l'avait emmené son ami, il rencontra un
type rond, joufflu et barbu qui était le conservateur de l'art contemporain au Metropolitan
Museum et l'homme le plus drôle, le plus vif,
le plus mordant qu'il ait jamais rencontré. Ils
se revirent le lendemain. Un autre Juif homosexuel, bien sûr, comme tous ses amis américains, et d'origine européenne : Henry avait
émigré avec ses parents de Bruxelles en 40 par
le dernier bateau. David n'éprouvait pas d'at-
tirance physique pour lui, mais n'avait jamais
ressenti avec personne de complicité aussi immé-
diate. La parole rebondissait entre eux, ils finis-
saient les phrases l'un de l'autre et ne cessaient
de rire. Ils avaient le même âge à deux ans près,
ils aimaient les mêmes poètes, les mêmes films,
les mêmes artistes, les mêmes livres, et ils avaient
la même passion pour l'opéra. Par-delà l'Atlantique il avait trouvé son âme sœur.

À son retour à Londres, un jeune homme qui
avait monté une affaire de vente d'estampes lui
proposa un marché : il imprimerait cinquante
séries des seize gravures de *La carrière d'un libertin* et les vendrait cent livres chacune, ce qui faisait un total de cinq mille livres. C'était la plus
grosse somme qu'ait jamais gagnée David ou un
autre artiste de sa connaissance. La fabrication
de ces séries coûtait au plus deux ou trois livres.
Il y aurait des gens pour en donner cent ? Quelle
folie ! Bien sûr, il ne toucherait pas la totalité
de l'argent puisqu'il fallait soustraire la part du

marchand et celle de Kasmin. Mais c'étaient des chiffres réels, et une partie lui reviendrait. Il pourrait enfin installer une douche dans son appartement de Notting Hill pour s'y laver longuement avec des amis. Ce n'était qu'un début : deux galeries de Londres allaient bientôt l'exposer, le *Sunday Times of London* l'envoyait en Égypte aux frais du journal pour qu'il en rapporte un carnet de croquis, et l'argent qu'il gagnait avec les séries de gravures lui permettrait de réaliser son rêve : aller à Los Angeles au mois de janvier.

Il revit soudain, en un flash, le directeur de l'école d'art de Bradford lui demander : « Vous êtes rentier ? » Cette image fut tout de suite recouverte par celle d'un garçon de quinze ans tremblant de peur et d'excitation tandis qu'un inconnu se faisait masturber par lui dans l'obscurité d'une salle de cinéma. Il avait fait du chemin depuis.

II

LE CHAGRIN DURE TROIS ANS

Il venait juste de dépasser le panneau de sortie de Cheyenne et se dirigeait vers Las Vegas. Après avoir roulé non-stop pendant quatre jours en s'arrêtant juste pour dormir dans des motels le long de la route, il entamait le dernier segment du voyage. Il était fatigué mais aimait les longues heures passées à filer vers l'ouest dans sa Triumph décapotable en écoutant de la musique, la tête vide ou pleine de pensées, tout en traversant les vastes espaces. À la tombée du jour le ciel, telle une gigantesque toile, se couvrait d'oranges et de roses aussi vifs et brillants que des néons électriques. Même sur les routes désertes où il ne croisait que quelques rares camions, la vitesse était limitée à quatre-vingt-dix. Au bout du compte c'était l'allure idéale pour contempler le violet des montagnes, le rose du ciel, et cette immensité de vide tout autour.

Ce serait son troisième poste d'enseignant. Il n'avait plus peur comme deux ans plus tôt, quand, sur le chemin de l'Iowa, fin juin 64, il s'était arrêté chez un opticien pour acheter une paire d'énormes lunettes à l'épaisse monture en corne noire qui lui donnait l'air plus âgé et professoral. Cette première expérience avait été un cauchemar. Iowa *City* : quel nom trompeur ! En arrivant sur place après deux jours de voyage, il avait traversé la banlieue et s'était retrouvé au milieu des champs de maïs : il n'y avait pas de ville. Il s'était rarement autant ennuyé que pendant ces six semaines. Quand Ossie avait débarqué de Londres, à la mi-août, il l'attendait comme le Messie. Ils avaient filé à La Nouvelle-Orléans avant de remonter vers San Francisco par les grands parcs nationaux. Il n'était pas près d'oublier le YMCA d'Embarcadero à San Francisco. Il suffisait de prendre une douche dans la salle de bains commune au milieu de la nuit pour que les garçons accourent des dortoirs telles des ombres, mais des ombres pourvues d'un corps glorieux, pour vous offrir à l'instant ce que vous souhaitiez. Ce n'était pas à Iowa City qu'on trouverait un tel paradis. Ni d'ailleurs à Boulder, Colorado, où David avait donné des cours de dessin à l'été 65, même si les conditions s'étaient améliorées : le paysage de montagnes était magnifique et il avait eu une aventure avec un étudiant très mignon. Mais, dans un endroit aussi beau, l'université lui avait assigné un atelier sans fenêtre, pas même la plus petite lucarne ! Du coup il avait peint sa vision très fantaisiste des Rockies. Au moins il avait compris que le Midwest, ce n'était pas pour lui.

Ce serait différent à UCLA, où les cours commençaient lundi. Il imaginait ses futurs élèves : de grands surfeurs musclés, blonds et bronzés, ressemblant aux mannequins de *Physique Pictorial*. Ils seraient bien surpris de découvrir que le professeur du cours avancé de peinture était aussi jeune et aussi mignon. David comptait bien profiter de l'admiration respectueuse et totalement dépourvue d'ironie que les étudiants américains témoignaient à leurs enseignants. De plus ils étaient tous entichés de l'accent anglais, et cet accent qui trahissait dans son pays natal ses origines provinciales et ouvrières devenait ici un atout, ajoutant à son charme.

Il écoutait *La flûte enchantée* et chantait à tue-tête tandis que le soleil déclinait à l'horizon. Après six mois à Londres, la Cité des Anges lui manquait terriblement. Elle était devenue une seconde patrie.

Il n'était plus le garçon naïf qui avait débarqué à L.A. en janvier 64, deux ans et demi plus tôt. Il avait cru le deuxième jour qu'il pourrait conquérir la ville à vélo, puisque ses seules jambes, la veille, ne l'avaient mené qu'à une station-service à deux heures de marche de son motel ! Les distances n'effrayaient pas un Anglais qui avait passé sa jeunesse à sillonner à bicyclette le Yorkshire vallonné. Sur une carte il avait vu qu'un long boulevard conduisait tout droit de son motel sur la plage de Santa Monica jusqu'au cœur de Downtown L.A., Pershing Square, où se passait l'action du roman très sexy de John

Rechy, *City of Night*, qui avait éveillé en lui mille fantasmes. Plein d'énergie, il avait enfourché le vélo qu'il avait acheté le matin, un peu surpris quand même de constater que le boulevard n'en finissait pas. Quand il avait touché au but à neuf heures du soir, la place était déserte. Où se cachaient les marins et les prostitués du roman de Rechy ? David avait bu une bière dans un bar vide avant de refaire les trente kilomètres en sens inverse, en sentant cette fois les muscles de ses mollets. Le lendemain l'employé du motel s'était exclamé : « Downtown L.A. ? Mais personne n'y va ! La nuit, c'est dangereux ! » Bref, il avait compris ce qu'on lui avait dit à New York quand il avait décidé de partir là-bas : « Vous ne conduisez pas ? Vous ne pourrez rien faire à Los Angeles, David. Allez plutôt à San Francisco ! »

Ce qui s'était passé les deux jours suivants faisait maintenant partie de sa mythologie intime. Au bureau des permis de conduire, où l'avait conduit au matin son unique connaissance à Los Angeles, un sculpteur avec qui son galeriste de New York l'avait mis en contact, David avait rempli quelques formulaires aux questions si simples qu'elles semblaient s'adresser à un enfant de cinq ans : il avait ainsi passé le code par inadvertance. « Revenez cet après-midi pour le test de conduite », lui avait-on dit, alors qu'il n'avait jamais tenu un volant de sa vie. Le sculpteur l'avait aidé à s'entraîner quelques heures dans son pick-up muni d'une boîte de vitesses automatique. C'était facile. Malgré quelques erreurs,

David avait obtenu son permis dans l'après-midi. Le lendemain matin il s'était acheté une Ford Falcon d'occasion. Tout cela en deux jours – son quatrième jour à L.A. C'était incroyable, et exactement ainsi qu'il avait imaginé Los Angeles. Alors qu'il conduisait sa nouvelle voiture à travers l'immense ville, il avait vu une autoroute qui s'élevait dans les airs comme une ruine dans un tableau du Piranèse, et il s'était dit avec exaltation : « L.A. mérite son Piranèse : ce sera moi ! » Une semaine plus tard il louait à Venice un studio qui lui servait aussi d'atelier, il se mettait à la peinture acrylique qui était ici d'excellente qualité et séchait bien plus vite que la peinture à l'huile, il fréquentait des artistes locaux aux vernissages des galeries d'art qui se trouvaient toutes dans la même rue, il faisait la connaissance de Nick Wilder, un jeune diplômé de Stanford qui deviendrait son premier galeriste californien, de Christopher Isherwood, un romancier anglais homosexuel dont il avait adoré les livres, et il allait dans les bars où on pouvait rencontrer des hommes.

Le réel correspondait rarement à l'attente que construisait l'imagination. En 63, quand il avait débarqué à Alexandrie lors du voyage égyptien payé par le *Sunday Times*, il avait trouvé une ennuyeuse bourgade de province au lieu de la merveilleuse ville bohème et cosmopolite qu'avaient créée dans son esprit les poèmes de Cavafy. Los Angeles, elle, était à la hauteur du rêve : il était tombé instantanément amoureux de cette mégapole qui combinait l'énergie américaine et la chaleur méditerranéenne. Tout l'émerveillait : les autoroutes à huit voies, l'immensité de l'espace, la lumière, l'océan, les vastes plages, les couleurs brillantes de la végétation sous le soleil, les villas blanches au toit plat, les immeubles de verre, les lignes géométriques, les maisons des stars aux styles factices, le mariage de la modernité et de la nature. Et la facilité avec laquelle ici tout pouvait se faire : pas de classes sociales, pas d'étiquettes, pas de traditions, de complications, d'élitisme. Tout le monde égal et libre, les bars ouverts jusqu'à deux heures du matin – l'heure parfaite si l'on voulait pouvoir travailler le lendemain. Du plaisir sans culpabilité, du ciel bleu, de la chaleur et de la mer. Et des piscines scintillantes sous le soleil. Il les avait vues depuis le ciel lors de son premier atterrissage, une myriade de ronds bleu clair qui parsemaient la terre. Une piscine ici n'était pas un signe de luxe ; juste un bassin où plonger pour se rafraîchir – et un excellent lieu de drague.

Depuis deux ans et demi il vivait alternativement aux États-Unis et en Angleterre ; il aimait cette double vie entre l'ancien et le nouveau monde. Après un an à Los Angeles, il était rentré à Londres préparer des expositions. Puis il avait passé l'été 65 à Boulder, l'automne 65 à L.A., l'hiver et le printemps 66 à Londres (avec un séjour à Beyrouth où il avait cherché l'inspiration pour une série de gravures illustrant une nouvelle traduction des poèmes de Cavafy), et il repartait maintenant pour Los Angeles, où il resterait tout l'été et sans doute l'automne, selon sa fantaisie. Il y avait d'un côté Londres et Bradford – sa famille, ses plus anciens amis et son premier galeriste –, de l'autre Los Angeles – le sexe facile, la drogue, de riches collectionneurs –, et entre les deux New York où il s'arrêtait dès que possible pour retrouver Henry et voir des expositions.

En trois ans il n'avait commis qu'une erreur. En décembre dernier, juste avant de retourner à Londres, il avait rencontré un garçon dans un bar de Venice. Après quelques jours en sa compagnie, il ne pouvait imaginer se séparer de lui. « Et si tu venais avec moi ? » Bob n'avait jamais quitté Los Angeles, il avait même fallu retarder le départ pour lui faire faire un passeport. Ils avaient traversé les États-Unis en voiture avec un ami anglais de David qui n'arrêtait pas de lui dire qu'il était dingue. Bob n'avait pas aimé New York : c'était sombre, bruyant et sale ; ça puait. « L'Europe est très différente, avait dit David. Tu vas voir. » Mais Bob ne s'était laissé impressionner ni par le voyage sur le *Queen Mary* dans les cabines de luxe payées par David, ni par l'accueil royal que leur avaient fait ses proches amis à la gare de Waterloo, ni par Londres. C'était vieux. « Vieux » : qualificatif rédhibitoire. Bob voulait seulement se droguer et baiser. Le soir où ils s'étaient retrouvés assis dans un bar près de Ringo Starr et que

David lui avait dit qui était son fameux voisin, Bob n'avait pas cillé : « Les Beatles habitent à Londres, non ? » Comme s'il était parfaitement naturel de tomber sur les Beatles au coin de la rue puisqu'ils vivaient à Londres – ou sur la reine, pendant qu'on y était ! David avait été forcé d'admettre qu'il n'avait jamais rencontré personne d'aussi bête, et même s'il le trouvait incroyablement beau, au bout d'une semaine il ne pouvait plus supporter Princesse Bob. Il l'avait renvoyé à Los Angeles par le premier avion et s'était juré qu'on ne l'y reprendrait plus. Ce qu'il avait pris pour de l'amour n'était que du désir.

Il était déjà en Californie et descendait vers L.A. La nuit était tombée. Il arriverait tard ce soir, mais il y aurait sûrement quelqu'un pour lui ouvrir la porte et un matelas par terre à partager. Ayant rendu son studio à Venice, David passerait l'été chez son ami Nick qui, n'ayant guère le sens des réalités matérielles, vivait dans un petit appartement de location qu'il n'avait presque pas meublé, mais se montrait très hospitalier. Dès son réveil demain matin, il plongerait dans la piscine de la résidence.

Il était très excité quand il entra dans sa classe le lundi matin, empli des visions enchanteresses qui avaient accompagné son voyage. Mais où donc étaient les surfeurs blonds et bronzés ? La salle était pleine d'élèves qui avaient la trentaine, voire la quarantaine, des mères de famille aisées qui devaient s'ennuyer chez elles après l'envol des enfants hors du nid familial, ou de futurs professeurs de dessin qui ne ressemblaient en rien aux mannequins de *Physique Pictorial*. Ils dévisagèrent David avec curiosité. Avec ses énormes lunettes à monture noire, ses cheveux blond platine, son costume rouge tomate, ses chaussettes dépareillées, sa cravate à pois verts et blancs et son chapeau assorti, il se démarquait de leurs autres enseignants. David poussa un soupir à la perspective des mois à venir.

Il se présentait à ses étudiants quand la porte s'ouvrit. Un jeune homme entra.

« Excusez-moi, c'est le cours A 200 ? demanda-t-il d'un air hésitant.

— C'est le cours avancé de peinture, répondit David qui ignorait le numéro de son cours.

— Oh, pardon. Je me suis trompé. »

En quelques enjambées David s'interposa entre lui et la sortie.

« Pourquoi ne pas essayer ? Ce n'est pas difficile. »

L'étudiant le regardait timidement. Il était très jeune, encore un adolescent. Il avait des yeux noisette et de longs cils, des cheveux châtains ondulés, des joues veloutées, des lèvres sensuelles et des taches de rousseur sur le nez.

« Je viens d'Angleterre, reprit David, et, vous verrez, je suis un très bon prof. J'ai même reçu la médaille d'or du Collège royal de Londres ! » ajouta-t-il avec un sourire d'autodérision.

Cette façon de se vendre n'était guère subtile, mais il avait remarqué que les médailles impressionnaient les Américains. Il voulait que l'étudiant reste.

« Vous êtes entré ici : faites confiance au hasard ! »

Ce dernier argument sembla décider le jeune homme.

Une heure plus tard, David tressaillit de joie quand il regarda le dessin qu'avait fait le nouvel élève. Il n'était pas seulement d'une joliesse parfaite : il avait du talent.

« Vous avez le niveau. Vous pouvez rester sans problème.

— Je n'ai pas passé les unités qui me permettraient de m'inscrire à un cours avancé de peinture, répondit le garçon de sa voix timide.

— Ne vous inquiétez pas. Je m'en occupe. »

Il n'était pas dit qu'un obstacle administratif s'interposerait entre lui et Peter.

Car il s'appelait Peter, comme l'ami dont David avait été platoniquement amoureux au Collège royal. Peter était un prénom commun, bien sûr, mais il y vit un signe – une revanche – du destin.

Peter revint au cours suivant. Il était inscrit. À la fin de la matinée, alors qu'il rassemblait ses affaires sans se presser comme s'il avait deviné l'intention de David, celui-ci n'attendit même pas que fût sorti le dernier étudiant pour lui proposer :

« Un café ? »

Il fut bientôt naturel de déjeuner ensemble après le cours qui, l'été, avait lieu tous les jours, d'aller se balader sur la plage à Santa Monica, de nager dans la piscine de la résidence de Nick en fin d'après-midi, de dîner chez lui de pizza ou de poulet frit tout en se mêlant aux vives discussions intellectuelles sur l'art contemporain. Peter, intimidé, se contentait d'écouter. Il faisait le trajet tous les jours en bus depuis la Vallée où il habitait avec ses parents et ses deux frères. Il avait dix-huit ans, venait d'une famille juive unie, avait grandi dans une banlieue aisée. Son père vendait des assurances-vie et sa mère s'occupait des trois garçons. Il s'était inscrit à l'université de Californie à Santa Cruz mais regrettait son choix car il n'y avait pas de cours d'art – voilà pourquoi il suivait des cours à UCLA pendant les vacances.

Ce qui se développa entre eux au cours de l'été fut plus qu'une simple amitié. Ce fut une confiance totale, une tendresse presque paternelle de l'homme de vingt-neuf ans pour le garçon de dix-huit et une admiration sans réserve du plus jeune pour l'aîné, un souci mutuel de l'autre, une envie permanente de se retrouver, de la tristesse quand l'heure arrivait de se quitter alors qu'ils n'avaient pas vu passer le temps, et un désir de plus en plus irrésistible de s'effleurer, de se toucher. La fin de la saison approchait. Peter devrait bientôt retourner à Santa Cruz pour sa deuxième année de fac. Santa Cruz était à six heures de voiture de Los Angeles quand il n'y avait pas trop d'embouteillages, et presque huit heures de bus. Comment feraient-ils ? La question était suspendue entre eux sans qu'ils en parlent.

Pour le week-end de Labor Day les parents de Peter allèrent à Santa Fe avec ses frères, et il obtint de rester seul chez lui. Il invita David, qui fut ému de découvrir sa maison et sa chambre avec ses posters, ses dessins, des photos de lui enfant, plus blond, ravissant. Ils passèrent la journée au bord de la piscine. David dessina Peter de dos en maillot de bain, allongé sur une chaise longue. Qui fit le premier geste ? Peter exprima son désarroi à l'idée de la séparation proche, David vint s'asseoir près de lui, posa la main sur son épaule chauffée par le soleil. Ou bien Peter lui prit la main, la mit sur son visage, l'embrassa. Lequel dit « Je t'aime » en premier ? Peter était vierge, c'était un garçon sage qui en savait encore moins que David autrefois dans sa ville de Bradford. David le déflora, mais il ne demandait qu'à l'être, tout son corps tremblant de désir. L'acte d'amour fut des deux côtés un don total, tout en douceur, en gratitude et en joie.

Peter partit. David promit de le retrouver chaque week-end. Six heures de route, ce n'est rien quand on roule vers son amant. À Santa Cruz il louait une chambre au Dream Inn, l'auberge des rêves qui n'avait jamais mieux mérité son nom, et qu'ils ne quittaient pas du week-end. Quand ils n'étaient pas en train de dormir ou de faire l'amour, David dessinait Peter, ses épaules rondes et encore enfantines, mais aussi larges et musclées, des épaules de nageur, sa taille fine et presque féminine, son nez couvert de taches de rousseur, sa bouche à la lèvre supérieure gonflée, terriblement sensuelle, ses dents, même, ses belles dents américaines brossées au Colgate matin et soir, bien droites et saines, les mèches balayant son front, les petits poils presque roux au creux de ses aisselles que David ne cessait de humer, son sexe, ses fesses douces, fermes et blanches. Chaque nouvelle séparation le dimanche soir était un déchirement. Peter n'avait rien de particulier à faire à Santa Cruz. Pourquoi ne poursuivrait-il pas ses études à Los Angeles ? Cela posait quelques problèmes administratifs, mais David, qui s'était lié d'amitié avec un professeur de peinture proche du doyen des arts, entreprit de les régler. Le jour où Peter apprit qu'il avait obtenu son transfert à UCLA à partir du deuxième semestre, il fit des entrechats dans la chambre d'hôtel.

David se rappelait la conception de l'amour selon Aristophane qu'il avait lue autrefois dans un dialogue de Platon. Il avait l'impression d'avoir trouvé sa moitié. Leurs corps et leurs âmes s'emboîtaient parfaitement. Peter était intelligent, sensible, délicat, il avait le sens de l'humour, il était tellement beau ! Et il aimait David, son esprit, sa drôlerie, son accent qu'il trouvait raffiné, sa gentillesse, sa façon de dessiner et de peindre, son énergie, son visage, son sourire, son corps solide de paysan anglais, ses bras musclés, ses mains.

Pour la première fois David était passionnément amoureux d'un homme qui lui rendait son amour, et pour la première fois il peignait la vraie vie – pas une idée, pas une chose qu'il avait vue dans un livre. Il peignit Nick dans sa piscine, et Peter sortant de la piscine de Nick. Il peignit l'eau. Le mouvement de l'eau, sa transparence, son miroitement qu'il stylisa par des lignes ondulantes, la gerbe d'eau jaillissant au moment du plongeon, seule trace du corps qui avait disparu sous la surface. Comment représenter quelque chose qui était du mouvement pur et ne durait qu'une fraction d'instant, comme l'orgasme ? Il se servit de pinceaux fins et mit quinze jours de la concentration la plus absolue à peindre toutes les petites lignes de l'éclaboussure. Deux semaines pour quelque chose qui durait deux secondes.

Pour Noël il emmena Peter à Londres. Bien sûr il avait peur à cause de la mauvaise expérience de l'année précédente. Mais Peter n'avait rien de commun avec Bob. Il adora Londres. Il aimait tout ce qui était vieux ; il prit un plaisir fou à chiner sur Portobello Road, non loin de Powis Terrace où habitait David. Il rencontra ses amis, qui le trouvèrent charmant. « David et Peter ». Leurs noms étaient associés de plus en plus souvent. Ils formaient un couple.

De retour à Los Angeles, l'appartement de Nick n'offrant pas assez d'intimité, ils emménagèrent ensemble sur Pico Boulevard, où David avait loué un atelier à l'automne. Peter raconta à ses parents qu'il s'installait avec d'autres étudiants de UCLA. Quand son père découvrit la vérité il y eut des scènes, des cris, des pleurs de sa mère qu'il rapporta à David, partagé entre le rire et la sympathie. Ses parents exigèrent qu'il consulte un psychiatre. Il céda par respect pour eux, même s'il ne voyait pas en quoi ces séances pourraient le rendre « normal ». Le bonheur de Peter et David à vivre enfin chez eux était si intense que ni ces contrariétés familiales ni l'inconfort de leur logement ne pouvaient l'entamer. L'appartement, très petit, se trouvait dans une vieille baraque au cœur d'un quartier pauvre de L.A., et dès qu'ils allumaient le gaz les cafards s'enfuyaient, mais c'était un paradis puisqu'il abritait leurs amours. Peter passait ses journées à la fac et David peignait à la maison. Le soir ils sortaient, allaient au cinéma, mangeaient au restaurant mexicain du coin de la rue ou chez un japonais où David refilait discrètement à Peter un petit bol de saké, dînaient chez Nick ou chez leurs amis Christopher et Don. Peter n'avait pas l'âge légal de boire et David n'éprouvait plus le besoin d'aller dans des bars. Ils buvaient du vin blanc californien qui était la seule chose que contenait leur réfrigérateur.

En feuilletant un magazine, David tomba sur une publicité pour Macy's représentant une chambre, dont les diagonales fortes lui plurent : on aurait dit une sculpture. C'est ainsi que naissait l'idée d'un tableau : d'une composition qui se formait soudain dans son esprit par hasard, quand il ne s'y attendait pas, telle une apparition née du réel ou d'une image. Il y avait un lit au premier plan, recouvert d'un couvre-lit aux angles nets. Il décida d'y placer Peter, allongé sur le ventre, en tee-shirt et en chaussettes, sans slip, et le peignit d'après photos en prêtant attention aux ombres que projetait la lumière entrant par la fenêtre. Il intitula d'abord sa toile *La chambre, Encino*, mais changea le titre contre *La chambre, Tarzana*, du nom de la ville voisine, à la demande de Peter dont la famille vivait à Encino et qui avait peur que quelqu'un ne le reconnaisse. « Ne reconnaisse tes fesses ? » dit David en riant, car on distinguait mal les traits de Peter, tandis que ses fesses occupaient le centre de la toile.

Au printemps il reçut en Angleterre une importante récompense consacrant les peintres d'avant-garde, le prix John Moores de la Walker Gallery à Liverpool, pour son tableau *Peter sortant de la piscine de Nick*, où il avait représenté Peter debout dans la piscine, de dos, nu, avec de l'eau jusqu'à mi-cuisses. En s'éloignant de la peinture abstraite, en allant à contre-courant pour faire ce qu'il voulait, il avait gagné son pari. On aurait dit que les austères critiques anglais voulaient célébrer leur amour et la Californie. Il donna la moitié de la somme dont était doté le prix à ses parents pour qu'ils aillent voir son frère installé en Australie, et avec le reste il s'acheta une Morris Minor décapotable d'occasion, dans laquelle il emmena pendant l'été Peter et un de ses amis du Collège royal en France et en Italie. Peter était assis devant à côté de lui, Patrick casait ses longues jambes à l'arrière. Tout exaltait Peter, les routes escarpées, les paysages, les collines toscanes et les cyprès, les villages, la Méditerranée, les musées, le vin, la nourriture, les antiquités bon marché dont il devenait un collectionneur passionné. Son enthousiasme ravissait David.

Ils visitèrent Rome, passèrent une semaine sur la plage à Viareggio puis roulèrent jusqu'à Carennac, le village dans le sud-ouest de la France où Kas, son galeriste, louait un château au bord de la Dordogne. Il logea David et Peter dans une chambre magnifique, meublée d'antiquités, avec un lit royal. Patrick peignait des aquarelles, Peter faisait des photos avec l'appareil sophistiqué que sa tante hôtesse de l'air lui avait rapporté du Japon, et David dessinait. On ne pouvait pas être plus heureux. Tout ce qui lui importait était réuni : l'amour, le sexe, l'amitié, les bons vins, le travail. En septembre Peter s'envola pour Los Angeles parce qu'il devait retourner à l'école, le cher petit, et David prit ses quartiers à Londres pour préparer une exposition qui aurait lieu en janvier à la galerie de Kasmin. Il fit un grand tableau de Patrick dans son atelier de Manchester Street, qu'il finit juste à temps pour le vernissage le 19 janvier. Par refus de se prendre au sérieux, il avait ironiquement intitulé l'exposition « Une éclaboussure, une pelouse, deux chambres, deux taches, quelques coussins et une table peinte », simple description factuelle des toiles qu'il montrait. Les critiques adorèrent ses piscines, la modernité de ses formes rigoureusement géométriques aux lignes droites, et la lumière imprégnant ses œuvres : il était vraiment devenu le peintre de la Californie. Ce succès le réjouissait, certes, mais pesait si peu par rapport à la douleur physique que lui causait l'absence de Peter qu'il repartit dès qu'il le put pour New York, où le rejoignit son amant qu'il avait convaincu de sécher ses cours : pour la première fois, ils traversèrent ensemble les États-Unis en voiture. Dès qu'ils descendirent sur Los Angeles après cinq jours de voyage, David sentit l'air salé du Pacifique emplir ses narines : il était chez lui.

Ils emménagèrent dans un appartement bien plus agréable que le misérable studio de Pico Boulevard : situé au dernier étage, il donnait sur la mer, près de la maison où Peter avait occupé à l'automne une chambre que David reprit pour lui servir d'atelier, et à cinq minutes à pied de la charmante maison de style espagnol où vivaient ses meilleurs amis, Christopher et Don. Le matin, quand ils sortaient sur leur balcon immergé dans la brume qui montait de la mer, ils se seraient crus sur le pont du *Queen Mary*, en plein océan Atlantique. L'idée lui était venue de peindre un grand portrait de Christopher et Don. Ce n'était pas un genre à la mode. On le qualifierait sûrement de rétrograde. Mais il en avait envie et c'était cela, la liberté : ne pas se laisser enfermer dans une idée ; casser l'attente des autres, ses propres habitudes et sa façon de penser.

Il n'oubliait pas l'excellent conseil de Ron Kitaj, son ami du Collège royal qu'il voyait souvent car ce dernier passait le semestre à Berkeley et venait lui rendre visite à L.A. : « Peins ce qui compte pour toi. »

Christopher Isherwood, romancier et scénariste, comptait beaucoup pour lui. C'était son plus proche ami à Los Angeles même si Christopher, né en 1904, était bien plus âgé. Il venait comme David du nord de l'Angleterre (mais d'une classe sociale plus élevée), et avait choisi de vivre en Californie pour les mêmes raisons : il aimait le soleil et les beaux garçons, et ne supportait pas les préjugés de son pays natal. Son compagnon, Don, un peintre de l'âge de David, n'avait pas dix-huit ans quand Christopher l'avait rencontré sur une plage de Santa Monica en 54. David était intrigué par leur grande différence d'âge et fasciné par leur histoire d'amour. Ils étaient le premier couple gay de longue durée qu'il avait rencontré. Il ne souhaitait qu'une chose : vieillir un jour avec Peter comme Christopher avec Don. Il ne peindrait pas un portrait, mais son rêve.

Il passa des semaines à dessiner leurs visages. Ils posaient dans l'atelier de David et chaque fois qu'il leur disait de se détendre et d'oublier sa présence, Christopher croisait les jambes en plaçant le pied gauche sur son genou droit et contemplait Don, tandis que Don regardait David : la pose s'imposa d'elle-même. Après le départ de Don pour Londres où il devait passer quelque temps, David continua à peindre Christopher et le vit tous les jours. Ce dernier lui racontait sa vie, ou plutôt ses vies, car il en avait eu plusieurs. Renonçant à des études à Cambridge, il avait quitté l'Angleterre à vingt ans, vécu à Berlin sous la république de Weimar – où sa passion pour un Allemand lui avait inspiré son roman le plus célèbre, *L'adieu à Berlin* –, émigré aux États-Unis en 39 avec son ami le poète W. H. Auden, puis était devenu bouddhiste et quaker avant de rencontrer Don sur la plage de Santa Monica et de s'installer en Californie.

David ne connaissait personne de plus libre. Mais il le vit accablé le jour où Don lui annonça qu'il différait son retour de Londres. Alors qu'il craignait de perdre son jeune amant qui avait une liaison avec un autre homme, il se contenta de dire à David : « Ne sois pas trop possessif à l'égard de tes amis, David. Laisse-les libres. » Tout en compatissant, David ne se sentait guère concerné. Peter et lui n'éprouvaient qu'un désir : être ensemble.

Le portrait était intime et monumental. Au premier plan se trouvait une table basse sur laquelle David avait arrangé quelques objets, des livres empilés, une coupe de pommes et de bananes qui apportaient une unique touche de couleurs chaudes dans la toile à dominance bleue, et un épi de maïs desséché dont la forme symbolique avait l'air d'un clin d'œil. La vaste fenêtre occupant la partie supérieure de la toile donnait une sensation d'espace, et David avait peint ses volets intérieurs clos de ce bleu turquoise qui était la couleur des piscines, de l'océan, du ciel californien. Du temps du Collège royal, avant de connaître la Californie, David avait réalisé une petite peinture représentant un homme en train de courir, et il avait fait une tache bleue en haut du tableau qu'il avait alors intitulé *Homme courant vers quelque chose de bleu*. De fait, le bleu, surtout le bleu intense, vif et profond, le bleu de Vermeer, était une couleur vers laquelle on avait envie de courir, comme vers la mer. Les lignes géométriques de la table, de la fenêtre et des gros fauteuils carrés en osier tressé où étaient assis Christopher et Don contrastaient avec la douceur des figures humaines, qui n'occupaient en fin de compte qu'une petite partie de l'espace. C'était à la fois une nature morte et un portrait, un tableau classique et très contemporain qui révélait la sollicitude de Christopher à l'égard de Don et la profondeur de leur relation.

Le bonheur était possible. David l'éprouvait chaque matin en se réveillant auprès de son amant, en s'installant devant son chevalet, en sentant l'odeur des eucalyptus après la pluie, en emplissant ses poumons de la fragrance du jasmin et de l'air salé du Pacifique, en retrouvant Peter pour dîner. Le bonheur, contrairement à ce qu'affirmaient les romantiques, n'était pas incompatible avec la création, qui ne naissait pas nécessairement du manque, mais aussi de la plénitude. La décision qu'il avait prise cinq ans plus tôt de venir à Los Angeles alors qu'il ne conduisait pas, cette décision absurde selon ses amis new-yorkais, avait été la meilleure de sa vie.

Peter gardait une forte nostalgie de l'Europe, dont il était tombé amoureux lors de leur été en Angleterre, en France et en Italie. Il disait qu'il était né au mauvais endroit et au mauvais moment. À tout hasard, il décida d'envoyer un dossier de candidature au Collège royal et au Slade, et demanda à David une lettre de recommandation. Quand il fut refusé au Collège royal, David, qui s'y attendait – l'école n'acceptait que cinq ou six élèves par an –, n'eut pas de mal à le consoler. Il s'attribua même la responsabilité de cet échec : étant donné sa réputation sulfureuse, lui dit-il, sa lettre avait dû le desservir. Quelques jours plus tard un nouveau courrier arriva, du Slade cette fois. Peter l'ouvrit avec un haussement d'épaules, sans se faire d'illusions. Il écarquilla les yeux. Il était pris.

Pour la première fois leurs désirs entrèrent en conflit et ils découvrirent l'un chez l'autre une volonté que l'amour ne tempérait pas. David n'avait aucune envie de quitter Los Angeles, et surtout pas pour rentrer en Angleterre, ce pays de nourrices myopes, élitiste, non égalitaire et non démocratique, où l'on n'avait pas le droit de commander un verre après onze heures du soir sauf à payer un prix exorbitant pour appartenir à un club. Puisqu'ils avaient trouvé sur cette Terre un lieu où ils étaient heureux, pourquoi tenter l'aventure ailleurs ? Et qu'apprenait un vrai artiste dans une école ? Peter connaissait les bases du dessin, il avait du talent, il n'avait besoin de rien de plus. Ils discutèrent longuement, âprement, chacun restant sur ses positions. Certes, disait Peter, les institutions ne créaient pas les artistes, mais elles les aidaient dans leur carrière – et même dans leur vie privée ! N'était-ce pas grâce à la médaille d'or du Collège royal qu'ils s'étaient rencontrés ? Et son diplôme, dont David faisait si peu de cas, ne lui avait-il pas servi de carte de visite à ses débuts ? Kasmin ne l'avait-il pas découvert au Collège royal ? Étudier à Londres, dans une école réputée comme le Slade, était une opportunité unique : David pouvait-il en priver l'homme qu'il disait aimer ? Ils partiraient juste le temps de ses études, trois ou quatre ans. Et s'ils n'étaient pas heureux, ils n'auraient qu'à retraverser l'océan pour retrouver leur paradis. *Please, David, please.* Il accompagnait ses arguments d'une tendresse caressante et persuasive. David céda.

Ses craintes furent démenties : leur vie à Londres ne différait guère de celle qu'ils menaient en Californie. Ils s'installèrent dans le petit appartement de Powis Terrace d'où Peter pouvait se rendre au Slade en vingt minutes de métro. David travaillait à la maison et, en fin de journée, attendait avec impatience de retrouver son amant, qui rentrait de ses cours ou de son atelier. Peter avait eu une déconvenue en découvrant qu'un élève étranger n'avait pas droit à un espace de travail individuel au Slade, mais David lui avait trouvé une chambre chez son amie Ann qui venait de se séparer de son mari. Artiste elle aussi, mère d'un adorable bambin de deux ans au prénom poétique de Byron – né juste après l'été où Peter et David s'étaient rencontrés –, elle avait besoin d'un complément de revenu. Ann habitait sur Colville Square, à cinq minutes de chez eux – c'était d'ailleurs son ex-mari, ancien camarade de David au Collège royal, qui avait attiré ce dernier dans le quartier. On ne pouvait faire plus pratique.

Certes le ciel était plus gris, mais la vie culturelle était plus riche à Londres qu'à Los Angeles, et David y avait encore plus d'amis. Ils étaient invités partout. Ils assistaient aux premières des pièces de théâtre, des films et des opéras, aux défilés de mode d'Ossie avec Celia et Mo. Ils allaient aux vernissages de Kasmin et d'autres galeries. Ils dînaient chez Odin, le restaurant branché d'un de leurs amis. Le week-end ils rendaient visite à des aristocrates ou à des artistes qui possédaient des châteaux aux jardins fleuris dans la campagne anglaise. Peter, sous le charme, ne cessait de prendre des photos. David voyait son pays à travers les yeux du jeune Américain et réapprenait à l'aimer. Le dimanche ils donnaient des thés avec de petits sandwiches et des gâteaux qui lui rappelaient son enfance, et qui devinrent vite si populaires qu'ils n'avaient pas assez de tasses pour tout le monde. L'harmonie entre eux n'avait jamais été aussi grande. Peter remerciait David presque chaque jour de lui avoir donné accès à ce monde tellement plus raffiné que sa Californie natale. Il s'était fondu dans la vie londonienne comme s'il y avait toujours vécu. Il était beau, jeune, de la chair fraîche au milieu d'hommes plus âgés. Les opportunités ne manquaient pas et les amis n'étaient pas toujours loyaux (Henry lui-même, à Los Angeles, n'avait-il pas fondu sur Peter tel un oiseau de proie un jour où il l'avait trouvé seul dans le studio de Pico Boulevard, au tout début de leur relation ? David avait beaucoup ri quand Peter, choqué comme une vierge pudique, lui avait raconté l'incident), mais il n'y avait aucun risque : à Londres comme à L.A., ils n'avaient d'yeux que l'un pour l'autre.

L'été arriva. Ils retournèrent en Dordogne, chez Kas, puis rendirent visite à un ami de David, Tony Richardson, un cinéaste anglais qui vivait entre Londres et Los Angeles et qui venait de rénover un hameau dans les collines au-dessus de Saint-Tropez pour en faire un lieu de villégiature ouvert aux proches – et aux moins proches. Tony était si hospitalier qu'il n'y avait même pas besoin de le prévenir : on débarquait quand on voulait, on occupait un des bungalows, on vivait en communauté, on passait de merveilleuses journées au bord de la piscine, en haut d'une colline fleurie qui avait vue sur la mer. David et Peter y retrouvèrent leurs amis de L.A. : la Californie s'était déplacée en Europe. L'automne venu, ils passèrent des week-ends à Paris et visitèrent la France, descendant chaque fois dans les meilleurs hôtels. Il était si facile de rouler jusqu'à la côte le vendredi soir, de mettre la voiture sur le ferry et de se réveiller dans le nord de la France le samedi matin. L'Europe continentale à leur porte, avec toute sa diversité et sa beauté : voilà ce qu'ils n'avaient pas en Californie, David devait l'admettre. Ils aimaient particulièrement la station thermale de Vichy et son palace à l'élégance proustienne, le Pavillon Sévigné. Il était bon de s'y retrouver tous les deux seuls, de s'y faire masser et d'y passer, détendus, des soirées et des nuits exquises.

Peter lui portait chance. Leur deuxième année à Londres fut professionnellement intense pour David, auquel la Whitechapel Gallery, dans l'est de la capitale, allait consacrer une rétrospective. Il marchait dans les traces des grands : c'est là qu'avait été exposé *Guernica* de Picasso, en 38, acte de protestation contre la guerre civile en Espagne, et qu'avait eu lieu la première exposition en Angleterre de Mark Rothko en 61, alors qu'il était encore élève au Collège royal, ainsi que l'exposition « Nouvelle génération » en 64. La rétrospective montrerait tout son travail depuis dix ans, ses dessins, ses gravures, les tableaux californiens, les grands portraits. Il peignit un autre double portrait, de Henry et de son petit ami, qu'il alla dessiner et photographier à New York. Ce fut l'occasion de tester les limites de l'Amérique : il tomba malade, eut une très forte fièvre, et découvrit à sa stupéfaction que, dans ce pays si démocratique et généreux, il était tout simplement impossible de consulter un médecin si l'on n'en avait pas déjà un, sauf à attendre des heures avec les plus pauvres aux urgences de l'hôpital.

Très différent de celui de Christopher et Don, le nouveau portrait était à dominance verte et rose. Henry, assis jambes croisées au milieu d'un canapé en velours rose de style Art nouveau, devant la fenêtre avec vue sur les gratte-ciel de Manhattan, occupait le centre de la toile et faisait face au spectateur. La lumière se reflétait dans ses lunettes. Un de ses pieds chaussé d'un soulier verni apparaissait sous la table en verre, l'autre reposait sur son genou. Son petit ami, debout sur le côté, de profil, en imperméable beige, avait l'air d'apporter un message ou de s'apprêter à sortir. « On dirait l'ange de l'Annonciation », lui dit un ami, et David rit car Henry n'avait rien de la Vierge Marie. Le portrait n'était pas flatteur mais une force émanait de Henry, de son gros ventre révélé par les plis du gilet gris sans manches, de sa cravate rouge, de sa bouche entrouverte, de son poing serré, de la bande de peau visible entre sa chaussette et le bas du pantalon, et c'était à nouveau un tableau qui évoquait la relation entre les protagonistes ; on sentait que, contrairement à celle de Christopher et Don, elle ne durerait pas. David entreprit aussitôt après un autre grand format, où l'on voyait Peter et Ossie, de dos, assis sur des chaises en fer à côté d'une chaise vide (celle de David, qui s'était levé pour dessiner la composition, et qui était ainsi présent par son absence même), dans le parc verdoyant des Sources, à Vichy, avec une perspective d'arbres à la française.

Le 2 avril, David était ému et nerveux quand il arriva avec Peter à la Whitechapel Gallery pour le vernissage. Tout Londres s'y pressait. Il revoyait pour la première fois en dix ans des œuvres de jeunesse qu'il avait vendues. Du temps du Collège royal il se cherchait encore, et son travail était tissé de citations de peintres français, italiens, américains, anciens ou contemporains, figuratifs ou abstraits, surtout Dubuffet et Francis Bacon. Mais, même à l'époque, il avait absorbé leur style dans le sien et l'on reconnaissait sa patte, ses formes, sa théâtralité, son goût du jeu, ses couleurs, son rapport à l'espace, qui annonçaient déjà les vastes doubles portraits.

Sa première rétrospective à l'âge de trente-deux ans. Il était en train de devenir un peintre connu, même s'il n'aimait pas penser à lui en ces termes. Ses parents l'avaient entendu à la BBC et avaient vu des photos de lui dans les journaux, les gens leur parlaient de leur célèbre fils, et la galerie d'art de Bradford avait acheté quelques eaux-fortes de lui. Les demandes d'entretien se multipliaient, les invitations pleuvaient, il arrivait qu'on le reconnaisse dans la rue. Ses œuvres se vendaient comme des petits pains, surtout les doubles portraits, lumineux, modernes et instantanément classiques à la fois. Kas le pressait d'en peindre d'autres, plus vite, car les collectionneurs attendaient. David n'aimait pas travailler sous pression, mais il était bon de se sentir désiré.

Par rapport à cette période exaltante qu'il était en train de vivre, la douce domesticité avec Peter semblait parfois monotone. Ils étaient fidèles l'un à l'autre depuis presque quatre ans. Le désir s'émoussait. N'était-il pas écrit partout dans la littérature, dans *Tristan et Iseut* pour commencer – dont il connaissait par cœur l'histoire grâce à l'opéra de Wagner –, que la passion durait trois ans ? Il arrivait maintenant que Peter n'ait pas envie de faire l'amour, et qu'il ne veuille même pas que David l'embrasse. Il reprochait à son amant de ne pas le prendre au sérieux en tant qu'artiste. David haussait les épaules. Peter était un étudiant de vingt-deux ans au Slade : il ne fallait pas exagérer. Après la rétrospective, il se plaignit de n'être qu'un objet sexuel dans les tableaux de David : n'était-ce pas ce qu'il lisait dans les journaux et ce que pensaient leurs amis ? David leva les yeux au ciel et ne jugea pas utile de répondre.

Ils se disputèrent la veille de Pâques alors qu'il partait prendre son train pour Bradford, sans Peter puisque Pâques, comme Noël, était une fête strictement familiale.

« Je te fais honte ? lui demanda agressivement Peter.

— Ne commence pas.

— Tu es vraiment lâche. Moi j'ai bravé la colère de mes parents pour toi.

— Il ne s'agit pas de ça, tu le sais. Ce n'est pas le bon moment. »

Ils avaient déjà eu des discussions à ce sujet. David lui avait expliqué que ses parents, qui avaient grandi en province en allant à l'église méthodiste tous les dimanches, ne savaient rien de l'homosexualité, sinon que le Seigneur avait versé une pluie de soufre sur Sodome et Gomorrhe : il ne voulait pas causer de choc à sa mère alors qu'elle avait presque soixante-dix ans et que la mauvaise santé de son mari la rendait très soucieuse.

« Ce n'est jamais le bon moment ! » cria Peter en claquant la porte.

Quand David rentra de Bradford deux jours après avec un œuf en chocolat, Peter faisait toujours la tête.

Ils manquaient d'espace dans le deux-pièces qui servait aussi d'atelier. L'appartement contigu était à vendre et David, grâce au succès de la rétrospective, put l'acheter. Les travaux commenceraient à l'automne. Peter les superviserait et s'occuperait de la décoration. C'était une activité qu'il aimait ; il se sentirait utile. Pendant quelque temps ils ne parlèrent que des plans du futur logement : ils avaient retrouvé un désir commun. Puis Peter partit seul à Los Angeles en août voir ses parents. Quand il revint début septembre, David l'attendait avec impatience. Leurs retrouvailles furent ratées : ils se disputèrent presque aussitôt. Peter était tendu, irritable, et quand David lui demanda ce qui n'allait pas, il mit sa mauvaise humeur sur le compte du décalage horaire, avec une mauvaise foi évidente.

Pendant l'automne David l'emmena en Europe du Nord et de l'Est, dans les pays où voyageait l'exposition de la Whitechapel. Les palaces de Karlsbad et de Marienbad étaient délicieusement désuets, mais Peter était contrarié car il n'y avait pas de magasins d'antiquités ; il en tenait rigueur à son amant comme si c'était sa faute. David, qui ne savait plus comment s'adresser à lui sans l'agacer, trouvait ses caprices lassants.

Peut-être Peter le Californien ne supportait-il plus le long hiver anglais, la grisaille, la pollution, et avait-il simplement besoin de soleil. En février David l'invita au Maroc avec Celia, leur amie commune, que Peter aimait beaucoup. La Mamounia était une oasis de beauté, de luxe et de raffinement, et la vue des jardins et des palmiers depuis le balcon de leur chambre où se tenait Peter, une splendeur. David vit tout de suite la composition. Quand il sortit son appareil photo et son carnet de croquis, le jeune homme eut un mouvement d'impatience. « Encore ! » Il n'avait pas envie de poser. Il voulait sortir de l'hôtel, aller à Marrakech, se promener dans le souk, rendre visite aux Getty. « Que tu es jeune ! s'exclama David. J'en ai fini avec tout ça. » Peter l'accusa de condescendance et entra dans une telle rage que Celia, accourue de la chambre voisine, eut toutes les peines du monde à le calmer.

D'un commun accord, ils décidèrent de passer les vacances de Pâques séparément. Ils avaient tous les deux besoin d'air. D'une pause. Peter irait à Paris et David à Los Angeles. Il y trouva exactement ce qu'il était venu y chercher : un moment de pure détente dans la maison d'un ami de Nick, un banquier chez qui la fête battait son plein jour et nuit autour de la piscine. Les drogues circulaient, les garçons étaient beaux et le plaisir facile. Après l'amour, il dessinait les hommes avec qui il avait couché. Il se sentait mieux et Peter lui manquait déjà. Dans l'avion qui le ramenait à Londres, il pensait tendrement à lui, impatient de le retrouver et de se réconcilier avec lui.

Peter n'était pas disponible : il avait rencontré quelqu'un. David, qui venait de prendre du bon temps, n'était guère en droit de se plaindre. Et Peter était si jeune, il n'avait que vingt-trois ans. David avait été son premier amant : il avait besoin d'expérimenter. Il fallait le laisser vivre son aventure. Les mots de Christopher Isherwood lui revinrent en mémoire. Le sage Christopher avait réussi à contrôler sa douleur, Don avait fini par rentrer de Londres et ils étaient aujourd'hui plus heureux que jamais. David trouverait la force de l'imiter.

Il y avait heureusement le travail, cette planche de salut. Il avait commencé un nouveau double portrait, d'Ossie et de Celia, qui venaient de se marier parce que Celia était enceinte : ce serait leur cadeau de mariage. Ossie était assis sur une chaise moderne dans une pose nonchalante, son chat sur les genoux, tandis que Celia se tenait debout près de la fenêtre ouverte, dans une longue robe sombre, la main sur sa taille qu'épaississait sa grossesse, à côté d'un bouquet de lys blancs. Le téléphone sur la droite était blanc aussi, ainsi que la balustrade du balcon et le chat, et tout ce blanc imprégnait le tableau d'une douceur qui était celle de Celia. David n'arrivait pas à peindre les pieds d'Ossie et dut les cacher dans les poils du tapis. La tête aussi lui donnait du fil à retordre : il n'arrêtait pas de la refaire sans en être satisfait, sans doute parce qu'il n'était pas satisfait d'Ossie lui-même, qui se droguait de plus en plus, devenait de plus en plus fantasque et traitait mal Celia. David avait à peine fini ce tableau qu'il accepta une commande, lui qui les déclinait toutes, pour un portrait du directeur de Covent Garden qui partait à la retraite. Mieux valait rester occupé. Il pensait aussi de plus en plus à un autre sujet dont l'idée lui était venue alors qu'il avait vu deux photos traîner côte à côte sur le sol de son atelier. L'une représentait un garçon nageant dans une piscine, l'autre un jeune homme de profil regardant droit devant lui : on aurait dit qu'il observait le nageur. La composition, encore une fois née du hasard, lui avait plu et il avait tout de suite su ce qu'il voulait peindre : Peter dans la position du garçon debout. Peter qui pour une fois ne serait pas l'homme nageant sous l'eau, l'objet du regard, mais l'homme habillé au bord de la piscine, l'observateur, le sujet du regard, c'est-à-dire l'artiste.

David le supplia de venir avec lui en France en juillet. S'ils retournaient à Carennac, le souvenir des moments heureux passés dans le château avec Kas, sa femme et leurs invités, la rivière qui reflétait la pierre jaune pâle des murs, les dîners en excellente compagnie sous les noyers, les exquis bordeaux grands crus, la douceur du soir effaceraient les griefs et ressusciteraient la tendresse. Peter accepta de venir mais n'était pas gentil. Il s'énervait constamment contre David, même en public, de façon humiliante. Il ne voulait ni poser ni faire l'amour. Au bout d'une semaine il insista pour aller à Cadaqués où un ami les avait invités. David céda. Quand ils arrivèrent dans la ville du nord-est de l'Espagne après un long voyage dans la chaleur par des routes tortueuses, une horrible surprise l'attendait : l'amant de Peter était là.

Il ne restait que trois jours avant le départ de Peter pour la Grèce, où il devait retrouver ses parents, et David avait besoin de passer du temps seul avec lui. Il l'implora de renoncer à un pique-nique en bateau avec le groupe le lendemain. Peter ne voyait pas pourquoi il devrait se priver d'une distraction amusante pour un tête-à-tête avec David, qui n'aurait sans doute que des reproches à lui faire. Le jour du pique-nique, David le suivit jusqu'au ponton d'où l'on embarquait sur le bateau où se trouvaient déjà tous les invités, dont l'amant de Peter, un beau Danois de son âge, grand et blond. Il le regarda sauter sur le pont du bateau.

« Peter, si tu y vas, c'est fini. »

Peter ne se retourna pas, et le sang de David ne fit qu'un tour.

« Va te faire foutre ! »

Il avait hurlé si fort que tout le monde se tourna vers lui. Il s'enfuit. Il fit son sac et partit à l'instant, traversant les Pyrénées, s'arrêtant à Perpignan pour la nuit, puis roulant jusqu'à Carennac aussi vite que les routes sinueuses de Dordogne le lui permettaient.

Quand il descendit de voiture dans la cour du château de Carennac et vit ses amis, Kas et sa femme, Jane, Ossie, Celia et Patrick, il fondit en larmes. Il regrettait déjà son accès de colère. Il essaya de joindre Peter au téléphone, en vain. Ils ne pouvaient pas se séparer pour un mois sur ces mots : « Va te faire foutre ! » Il lui fallait retourner à Cadaqués. Il repartit avec Ossie dans la chaleur étouffante de l'été et roula deux jours en s'arrêtant juste pour dormir. Peter n'eut pas l'air content de le voir.

« Qu'est-ce que tu fais là ? Va-t'en.

— Je ne peux pas partir maintenant, Peter. Ça fait quatre jours que je conduis, je suis trop fatigué. »

Les larmes roulaient malgré lui sur ses joues. Comment Peter pouvait-il se montrer si cruel ? Leurs amis intervinrent, et Peter se radoucit un peu. La veille de son départ pour la Grèce, ils réussirent à parler, sans crier, sans s'insulter. David se sentait mieux quand ils se séparèrent.

Il avait un mois entier pour réfléchir à ce qui s'était passé. Il allait changer. Il deviendrait moins égoïste. Il avait pris Peter pour acquis : désormais il l'écouterait, ferait davantage attention à lui, penserait à le complimenter sur ses peintures et ses photos, lui dirait quelle place essentielle il tenait dans sa vie. David se rappelait sa propre jeunesse : lui aussi, à vingt-trois ans, s'était senti perdu. Il ne devait pas être facile de vivre avec un artiste plus âgé qui avait du succès. Il montrerait à Peter qu'il le respectait comme un être distinct de lui, avec sa vie et sa volonté propres. Il s'était montré égocentrique. Absorbé par son travail, il avait laissé la distance se creuser entre eux. Mais il avait des circonstances atténuantes. La rétrospective n'était pas une exposition comme une autre : elle représentait dix ans de son travail.

Quand Peter rentra à Londres en septembre, il dit à David qu'il avait besoin de temps. Il transporta un matelas dans son atelier. Au moins il habitait encore au coin de la rue, chez Ann, leur amie. Les travaux qui avaient causé tant de perturbations et de bruit l'année précédente étaient finis. Le vaste appartement décoré de meubles design choisis par Peter était magnifique, et la spacieuse salle de bains aux carreaux bleu vif était pourvue d'une douche à jets multiples que David rêvait d'essayer avec lui. Il fallait être patient, lui laisser du temps et de l'espace. Il peignit une nature morte où les objets séparés les uns des autres sur une table basse en verre exsudaient une solitude qui reflétait la sienne, et une bouée de caoutchouc rouge flottant dans une piscine, miroir de sa mélancolie. Les journées passaient, tristes, identiques l'une à l'autre. Il ne pouvait pas dormir sans Valium. Certaines nuits seule la pensée de sa mère le retenait d'avaler la boîte. Un ami, voyant à quel point il était déprimé, l'emmena au Japon. David avait envie d'y aller depuis longtemps, mais Tokyo lui parut laide et polluée, la beauté de Kyoto ne l'émut pas, et il ne cessait de penser à Peter. Il finit par l'appeler un soir de l'hôtel pour entendre, à des milliers de kilomètres de distance, ces mots qui lui déchirèrent le cœur : « C'est fini. » Du Japon il n'aima qu'une peinture intitulée *Osaka sous la pluie,* dans une exposition de peintres japonais de style traditionnel.

Au retour il se jeta dans le travail. La seule personne dont il supportait la présence était sa mère. Elle ne connaissait pas la cause de sa tristesse mais il sentait qu'elle aurait aimé porter son fardeau à sa place. Elle l'appelait « mon chéri », était toujours prête à poser pour lui sans jamais se plaindre de la fatigue, respectait son travail et débordait de gratitude dès qu'il lui offrait un bouquet de tulipes, une robe ou un téléviseur. Au fond de lui, il attendait le moment où Peter reviendrait. C'était une question de semaines ou de mois, il en était sûr. Peter finirait par épuiser le plaisir de la nouveauté et par se rendre compte que leur amour était unique. Il y avait une tâche à accomplir d'abord, comme une épreuve dans un conte de fées : le tableau qui rendrait sa dignité à Peter en le représentant comme un artiste et non comme un amant.

L'œuvre lui résistait. David passait des heures

à l'examiner sans comprendre ce qui n'allait pas. Il avait beau repeindre la figure, travailler le nageur et la surface de l'eau, le problème persistait. Un matin, alors que son regard allait et venait des photos à la peinture, intensément concentré, il eut une révélation. L'angle de la piscine était faux. Par conséquent le tableau tout entier était faux. Il fallait le refaire. « Tu es fou ! » s'exclama Kas. La toile sur laquelle David avait déjà passé six mois lui paraissait parfaite. De toute façon il n'avait pas le temps de la recommencer avant l'exposition qui ouvrait trois semaines plus tard, le 13 mai, chez Andrew Emmerich à New York, sa première exposition solo depuis 69. Selon Kasmin, le problème n'existait que dans l'imagination de David qui n'arrivait pas à lâcher prise parce qu'il ne pouvait pas renoncer à Peter. « Non », répondit-il, en ajoutant que le tableau serait prêt.

Il travailla comme un fou. Il emmena Mo, son modèle et assistant devenu son proche ami, dans la maison de vacances de Tony au-dessus de Saint-Tropez, où il était souvent venu avec Peter. Ce dernier avait eu l'indécence de s'y arrêter à la fin de l'été à son retour d'Espagne, avec son amant nordique, mais Tony avait refusé de les recevoir, ce dont David lui était reconnaissant. Malgré la fraîcheur de l'eau en ce début de printemps, David fit nager Mo longuement dans la piscine tout en le mitraillant avec son appareil photo, puis il le fit poser sur la margelle en pierre dans la veste rose de Peter. De retour à Londres, il travailla sans relâche, même la nuit, car un jeune réalisateur qui avait entrepris un film sur lui offrit de lui prêter les lampes aussi puissantes que la lumière du jour dont se servent les cinéastes ; en échange, David toléra un après-midi la présence de l'étranger dans son atelier. Pendant dix jours il ne dormit pas. L'œuvre fut achevée la veille du vernissage. La peinture à peine sèche, il roula la toile et s'envola pour New York.

C'était son plus beau tableau, plus beau que le portrait de Christopher et Don, plus beau que *Le parc des Sources*. Auréolé de la lumière qui baignait sa veste rose vif, son visage et ses cheveux châtains, Peter regardant le nageur dans l'eau transparente ressemblait à un ange, mais un ange avec un corps réel qui projetait sur la margelle de la piscine derrière lui une ombre puissante. On y retrouvait à la fois les fortes diagonales et la perspective verte du *Parc des Sources*, et le bleu intense, attirant, du portrait de Christopher et Don. Cette peinture reflétait la force de son amour pour Peter. C'était un portrait du ciel, un portrait de l'eau, un portrait de l'amour, un portrait d'un artiste. Peter ne pourrait pas le voir sans rendre justice à l'amour que lui portait David.

Le tableau fut acheté tout de suite ; Peter ne revint pas.

Henry débarqua de New York pour l'été et emmena David en Corse. Henry était un ami à la langue acérée et à l'humour cruel, mais il fit preuve en l'occurrence d'une patience exquise, prêt à se laisser ennuyer à mourir par David, qui n'avait qu'un sujet de conversation – ou plutôt, de monologue. Il ne se demandait pas si Peter reviendrait, mais quand il reviendrait. C'était l'unique question qui le préoccupait. Quand Peter se rendrait-il compte que David était l'amour de sa vie ? Quand en aurait-il fini avec les nécessaires expérimentations de la jeunesse ? David envisageait un nouveau double portrait de deux amis londoniens, un danseur et un libraire de livres anciens, qui s'étaient rencontrés grâce à lui ou plutôt grâce à Peter. Leur différence d'âge était la même que celle qui existait entre Peter et lui. S'il les peignait, peut-être comprendrait-il le secret d'une relation stable. « Tu ferais mieux de peindre tes parents, lui suggéra Henry. Ça te permettrait de réfléchir à ta relation avec eux. Ce serait une excellente psychanalyse. » Henry ne plaisantait qu'à moitié.

David ne supportait plus Londres où chaque couple d'hommes vu de dos dans la rue, l'un svelte aux cheveux châtains, l'autre grand et blond, lui donnait un coup au cœur. Et quand il croisait Peter – ce qui arrivait forcément puisqu'ils fréquentaient le même monde, les mêmes galeries, les mêmes amis – il devait faire semblant d'aller bien et s'empêcher de regarder son amant dont le corps lui était interdit. C'était insupportable. Le monde de l'art le dégoûtait. Il apprit que l'homme qui avait acheté *Portrait d'un artiste* à New York en se faisant passer pour un collectionneur privé venait de le revendre en Allemagne trois fois plus cher : ce tableau où il avait laissé son âme était devenu l'objet d'une spéculation. Il devait maintenant terminer le double portrait du danseur et du libraire qui serait la pièce maîtresse de sa prochaine exposition. Il regardait la toile inachevée et n'en voyait plus l'intérêt. Il détestait l'appartement de Powis Terrace. Il fallait partir. Il avait de la chance, sans doute, car il en avait les moyens. Mais il aurait préféré une misérable cabane au bout du monde avec Peter plutôt que cette vie luxueuse qui était la sienne. Après les fêtes de Noël qu'il passa comme chaque année à Bradford avec ses parents, sa sœur et le seul de ses frères qui vivait encore en Angleterre, il s'envola pour Los Angeles et loua une maison sur la plage à Malibu, où le rejoignirent Celia et ses deux garçons de un et trois ans.

Elle aussi avait le cœur brisé. Ossie ne cessait de la tromper et se comportait très mal avec elle. Elle devait tenir, pour ses fils. Celia, proche amie de Peter, blâmait pourtant sa cruauté et avait pris le parti de David ; celui-ci, ami de longue date et ancien amant d'Ossie, avait pris le parti de Celia. Tout était doux chez elle : son visage, son sourire, ses boucles, ses yeux clairs, sa voix, ses bébés. Elle était si jolie. David ne cessait de la dessiner. Chaque matin il parcourait les soixante kilomètres jusqu'à son atelier de Hollywood, et chaque soir il reprenait la route et rentrait dans la maison sur la plage où l'attendaient Celia et les garçons. Elle avait préparé un dîner, ils ouvraient une bouteille de vin, ils la buvaient face à la mer après le coucher des enfants. Vers deux heures du matin, après avoir longuement parlé – de tout, d'Ossie, de Peter, de rien –, ils s'endormaient dans le même lit, serrés l'un contre l'autre. Comme un frère et une sœur. Ou un peu plus tendrement. David avait peu à peu l'impression que son corps dégelait. Était-ce de l'amitié ou de l'amour ? C'était quelque chose de doux qui les protégeait de la solitude et de la tristesse, une protection brutalement arrachée quand Ossie, après avoir eu vent de la nouvelle intimité entre son épouse et son ami, arriva de Londres tel un ouragan et embarqua femme et enfants.

Sans Celia et ses bébés, même le claquement des vagues lui paraissait sinistre. Il repartit pour l'Europe. Le 8 avril, quand il entendit à la radio que Picasso venait de mourir à Mougins, en France, à quatre-vingt-onze ans, il éclata en sanglots. Cela faisait presque deux ans que Peter l'avait quitté, deux années dont il ne gardait aucun souvenir : le vide semblait les avoir englouties. Il revoyait par contre comme si c'était hier son arrivée à Cadaqués et le regard dur, froid, sans amour que Peter avait posé sur lui quand il était descendu de voiture. « Va-t'en. » Il venait de comprendre qu'il ne rencontrerait jamais Picasso et que Peter ne reviendrait jamais vivre avec lui. Le monde serait à jamais sans Picasso et sans Peter. Ce n'était pas un monde où il avait envie de vivre.

Il ne se tua pas. Il reçut une invitation à participer à un hommage à Picasso. L'homme qui avait été le maître graveur du peintre espagnol, Aldo Cromelynck, l'initia à une nouvelle technique qu'il venait de mettre au point et qui permettait de réaliser des gravures en couleurs aussi rapidement et spontanément qu'en noir et blanc. En transmettant au peintre anglais une méthode qu'il n'avait pas eu le temps d'enseigner à Picasso avant sa mort, il faisait de lui l'héritier de Picasso en gravure. Pour la première fois en deux ans, David réussit à ne pas penser à Peter. Le plaisir que lui donna cette nouvelle technique, les longues journées passées à collaborer avec le graveur absorbèrent son énergie négative.

Henry le rejoignit à nouveau pour l'été et ils passèrent un mois ensemble en Italie, dans une villa que David avait louée à Lucques. Ils étaient supposés travailler à un livre sur la vie et l'œuvre de David – c'était Henry qui en avait eu l'idée. David dessinait son ami tandis qu'ils bavardaient à bâtons rompus, buvaient du vin exquis, écoutaient des opéras et fumaient d'énormes cigares au bord de la piscine. Le livre n'avançait guère mais David ne se sentait plus seul, et la vie recommençait à battre dans ses veines. Il retrouva même la force de faire une blague le jour où, alors qu'il avait son carnet de croquis sur les genoux, il vit Henry, assis à quelques mètres de distance, prendre la pose. Henry, qui avait sa petite vanité, aimait qu'on fasse son portrait. Pendant plus d'une demi-heure David le regarda puis se pencha sur sa feuille tour à tour, l'air concentré, tandis que son ami osait à peine bouger pour ne pas perturber la séance. « Je peux voir ? » finit-il par demander, et quand David brandit le dessin de Mickey Mouse qu'il avait passé la demi-heure à peaufiner, la surprise et la colère mêlées sur le visage de Henry étaient si comiques qu'il éclata joyeusement de rire.

Peut-être après tout la vie était-elle possible sans l'homme qu'on aimait. Peut-être n'éprouverait-il plus jamais de passion comme celle qu'il avait ressentie pour Peter, peut-être n'y aurait-il plus d'union parfaite, mais il restait la perfection de l'amitié, la beauté des cyprès sur les collines et la joie que donnait le travail. Et s'il oubliait Peter, s'il réussissait à vivre sans lui, ce dernier ne reviendrait-il pas ? Personne n'était attiré par la tristesse et la mélancolie. Mais par la gaieté, la force, le bonheur, oui. David nageait chaque jour une heure dans la piscine, il bronzait, musclait ses épaules et soignait son corps. Il savait que Peter avait besoin de lui. Il avait entendu parler de ses difficultés financières et ne pouvait s'empêcher de penser à lui alors qu'il lisait la fin terrible de *Madame Bovary*.

Dès le lendemain de son retour à Londres il fit savoir à Peter, par un ami commun, qu'il serait heureux de le revoir et de l'aider. La réponse fut que Peter n'avait pas besoin de lui ni envie de le voir.

Seul dans le vaste appartement silencieux de

Powis Terrace, la dépression l'accabla. Il se rendit compte qu'il avait passé l'été à s'abuser lui-même. Alors qu'il croyait reprendre des forces et s'éloigner enfin de Peter, il n'avait fait que l'attendre. Il avait même réussi à se convaincre que Peter aurait changé pendant l'été et accourrait vers lui !

Ils s'étaient aimés pendant cinq ans, étaient séparés depuis deux. Il avait maintenant trente-six ans et Peter vingt-cinq. Comment lui qui avait toujours été si gai, si plein d'énergie, si doué pour le bonheur pouvait-il être détruit par cette pensée obsessionnelle qui l'envahissait comme une mauvaise herbe ? Il s'était pourtant senti bien à Lucques avec Henry. Pourquoi retrouvait-il à Londres l'absence de toute envie autre que de mourir ? L'amour était une addiction. Comment ôter Peter de son sang afin de redevenir lui-même ? Quitter Londres une nouvelle fois ? Rejoindre Henry à New York ? Partir, oui, mais dans un lieu où il ne risquait pas de croiser Peter, où personne ne les avait connus ensemble, loin des amis dont, en deux ans, il avait épuisé la patience, et qui ne supportaient plus de l'entendre prononcer le nom de Peter.

Il choisit Paris, où Tony Richardson lui prêta un appartement qu'il possédait dans le VI⁰ arrondissement.

De l'immeuble situé dans une ruelle entre le boulevard Saint-Germain et la Seine, juste à côté du Procope, tout était accessible à pied : le Louvre où il allait se promener l'après-midi, les cinémas d'art et d'essai, la Seine plus verte que la Tamise, le Flore où il allait boire son café du matin et manger sa tartine beurrée tout en lisant le journal, La Coupole où il retrouvait des amis le soir. L'atelier était une oasis de calme dans ce quartier animé, plein d'étudiants, d'artistes et d'intellectuels. Celia lui rendait souvent visite et il la dessinait. Il se fit de nouveaux amis, dont un designer français et son compagnon, et un couple d'artistes américains qui vivaient depuis vingt ans dans un petit deux-pièces en enfilade où ils travaillaient. L'idée que l'homme ne pouvait sortir de chez lui sans que sa femme le voie amusa David, qui eut envie de les peindre dans leur appartement. Il lui arrivait encore de pleurer en pensant à Peter, mais il retrouva le plaisir de flâner et d'observer le spectacle de la rue au lieu de se perdre en lui-même. Il rencontra un étudiant français aux Beaux-Arts, Yves-Marie, qui devint son amant, et se rapprocha d'un jeune Californien, Gregory, qu'il avait rencontré à Los Angeles chez Nick et qui habitait rue du Dragon, tout près de chez lui.

Alors qu'il vivait à Paris depuis six mois et commençait à se sentir mieux, il se rendit à Londres pour voir l'œuvre du réalisateur qui lui avait prêté ses puissantes lampes deux ans plus tôt. Le film s'appelait *A Bigger Splash*, du titre de son tableau le plus connu. Le fil narratif était on ne peut plus flou. La caméra suivait des gens qui faisaient partie de sa vie : Mo, son assistant, qui évoquait sa crainte que David ne parte s'installer à New York ; son ami Patrick, debout dans son atelier comme dans le portrait que David avait fait de lui ; Celia avec son premier bébé ; Kas dans sa galerie pendant un faux coup de fil où il demandait à David de peindre plus vite car les acheteurs se bousculaient ; et Peter, bien sûr, en train de prendre le thé et de bavarder avec Celia, de se promener dans les rues de Londres ou de plonger dans une piscine. Il y avait des images de Powis Terrace, de la salle de bains aux carreaux bleu vif, et même de New York où David se rappela que le réalisateur l'avait accompagné lors d'un vernissage. Tout cela lui semblait d'un intérêt très restreint, et il se serait passé de ces images de Peter, qui provoquaient en lui une crispation douloureuse.

Une vision atroce lui sauta soudain au visage : Peter au lit avec un autre homme. David avait beau être horrifié, il ne pouvait détacher ses yeux de l'écran. Pendant plusieurs minutes dont chaque seconde rentrait une aiguille très fine sous sa peau, Peter et cet homme se caressaient, s'embrassaient, se dévêtaient, tandis que la caméra se focalisait sur les lèvres, les joues, le nez, les taches de rousseur, le dos cambré et les fesses de Peter, faisant ressurgir tout ce que David avait enfoui au fond de lui pendant des années. Le coup était si violent que la muraille qu'il construisait patiemment pierre après pierre depuis trois ans s'effondra brutalement. Il ne resta rien d'autre que la douleur de la trahison, une douleur si crue qu'il avait l'impression d'être nu et lynché par des jets de pierres aiguisées. Il se sentait trahi non seulement par le cinéaste, mais par Celia, par Mo, par tous ceux qui avaient participé à cette mascarade. Et par Peter, bien sûr. Le besoin d'argent l'avait-il poussé à jouer cette scène ? S'il était aux abois, pourquoi ne pas en avoir demandé à David ? Par fierté ? Peter avait-il jamais éprouvé pour lui de vrais sentiments ? Qui était le garçon qu'il avait aimé si passionnément ?

À la fin de la séance, il ne put dire qu'un mot au réalisateur : « Merci d'enlever *Avec David Hockney dans le rôle principal*. Je ne suis pas un acteur. »

Il ne laisserait plus jamais personne entrer dans sa vie et lui voler des images de son intimité ou des bouts de son cœur.

Il rentra à Paris anéanti. Pendant deux semaines il ne put sortir de son lit et ne vit personne.

La douleur partirait-elle jamais ? Trois ans ne suffisaient-ils pas ?

Mais peut-être que le tsunami causé par le film avait été la crise salutaire, comme la poussée de fièvre qui laisse le malade épuisé, exsangue, dans ses draps trempés de sueur, tout en signant la fin de la maladie. Ou peut-être que le choc de voir Peter faire une chose si vulgaire et cruelle lui avait permis de prendre conscience que l'amour idéal n'était qu'un fantasme. Ou peut-être que le chagrin, comme la passion, ne durait que trois ans. Un matin au réveil, il ne sentit plus la douleur lancinante qui l'avait miné pendant trois ans même quand il donnait le change. Son obsession l'avait quitté : il était libre et apaisé. Il vit Gregory de plus en plus souvent et comprit que leur sympathie mutuelle allait au-delà de l'amitié. Une nouvelle histoire naissait, prudente, timide, entourée de garde-fous.

Quand un metteur en scène lui proposa de peindre des décors pour *La carrière d'un libertin*, l'opéra de Stravinsky qui serait monté au festival de Glyndebourne, David eut l'impression que s'entrouvrait une porte par où s'échapper. Il n'avait jamais fait de décors d'opéra mais saisit cette opportunité. Ce n'était pas juste une distraction. Ce nouveau travail l'emmènerait loin du double portrait qu'il avait renoncé à finir. Il entrerait dans une nouvelle phase : au lieu de prendre les choses au drame, il irait du côté de la dramaturgie. *La carrière d'un libertin*, cette histoire de perdition qui lui avait amené le succès dix ans plus tôt, le sauverait en lui donnant un autre objet de préoccupation que lui-même.

Le jour de la première, un an plus tard, son ami restaurateur organisa un pique-nique sur la pelouse de Glyndebourne, où cent vingt bouteilles de champagne furent débouchées pour les trente invités de David. Les mets étaient succulents et si abondants qu'il put convier les chanteurs et les musiciens. Cette soirée d'excès lui coûta plus cher que ce qu'il avait gagné en dessinant les décors et les costumes, mais il ne la regretta pas. Il n'y avait pas une once de tristesse dans cette extraordinaire bacchanale. Il était remonté du fond d'un abîme et se tenait maintenant au bord de la vie. Littéralement. Alors qu'il contemplait, assis sur la pelouse et bien éméché, le soleil qui descendait lentement sur les collines du Sussex, il ne ressentit qu'amour et gratitude pour un monde qui offrait un si beau spectacle.

III

L'ENFANT EN SOI

Suspendue au bras de David, sa mère traversait la Hayward Gallery tout en observant autour d'elle les œuvres abstraites, sombres, minimalistes. Une grosse corde posée sur le sol accrocha son regard, sans doute parce qu'elle pouvait l'identifier. Elle s'arrêta et lut le nom de l'artiste, Barry Flanagan.

« Il a fabriqué la corde ? » demanda-t-elle naïvement.

Dans le petit groupe qui, outre ses parents, comptait son ami Henry, son assistant et Gregory, son nouveau compagnon, personne ne rit. David expliqua à sa mère, le plus pédagogiquement possible, ce qu'était l'art conceptuel. Laura hochait la tête comme une bonne élève.

« Je préfère ce que tu fais », dit-elle d'un ton soulagé quand ils pénétrèrent dans la salle où étaient exposées les œuvres de son fils.

Leurs couleurs vives et leurs sujets figuratifs contrastaient avec ceux des pièces précédentes. Son père se planta devant le tableau qui le représentait avec sa femme et hocha la tête d'un air satisfait.

« C'est bien moi : toujours occupé. Tu peux me remercier, David. Si je ne t'avais pas tiré les oreilles, ce tableau n'existerait pas ! »

Henry gloussa, tandis que David levait les yeux au ciel.

« Ken, vous avez eu bien raison de secouer votre paresseux de fils !

— Il est beau, dit Laura, mais j'aimais aussi la première version, quand on voyait ton reflet dans le miroir. La seule chose que je regrette, ajouta-t-elle, c'est de ne pas faire quelque chose, moi aussi. J'aurais l'air plus intéressante.

— Laura, vous êtes superbe. La reine mère, reprit Henry en enlaçant affectueusement les épaules de la vieille dame, toute petite et fluette à côté de lui.

— Mais où es-tu allé chercher cette robe ? reprit-elle. Je n'en ai aucune comme ça !

— Ce bleu te va bien, maman, non ? »

Mes parents : difficile de croire que l'œuvre existait. Aucun tableau ne lui avait donné plus de mal, pas même *Portrait d'un artiste*. Henry avait raison, comme d'habitude, quand il lui avait dit auparavant que peindre ses parents lui servirait de psychanalyse. Au bout d'un an et demi de labeur acharné, David avait renoncé : plus il retouchait la figure de son père et plus celui-ci avait l'air d'une momie. « C'est l'effet de tout ce non-dit entre vous », lui avait dit Henry. Peut-être, mais ce n'était pas maintenant que le

vieux était complètement sourd qu'ils se met-
traient à parler. Il avait appelé sa mère pour
lui annoncer son échec. « Mon pauvre chéri »,
avait-elle compati avec sa gentillesse habituelle,
en devinant sa frustration. Une heure plus tard
le téléphone avait sonné. Son père, furieux.
« Quoi, tu renonces ? Après tout ce temps où
tu nous as fait poser à Bradford, à Londres et à
Paris, même quand on était fatigués ou malades ?
Tu oses faire ça à ta mère, à la femme qui t'a
nourri, qui t'a élevé, qui a toujours été là pour
toi ? Tu ne sais pas ce que ça veut dire pour elle
d'être peinte par toi avec moi ? Elle était tellement fière ! » Il hurlait comme si son fils était
un chenapan de huit ans qui venait de faire une
énorme bêtise. David avait eu du mal à se contenir. De fort mauvaise humeur en raccrochant,
il était sorti boire un verre. À trente-neuf ans,
il était temps de s'assumer et de régler ses problèmes œdipiens. Mais au réveil le lendemain
matin, il avait appelé sa mère : « Maman, vous
pouvez venir à Londres ? Je recommence. »

Dans la nouvelle version il avait ôté le triangle
artificiel qu'il avait tracé entre les personnages
ainsi que le reflet de lui-même dans un miroir
posé sur la table. Tout cela distrayait le spectateur du vrai sujet, ses parents. Et surtout il
avait laissé son agité de père poser comme il
le voulait. Il l'avait peint penché vers un épais
catalogue d'exposition qu'il avait spontanément
ouvert sur ses genoux, absorbé dans sa lecture,
les talons en l'air, presque en mouvement, et

Ken avait soudain pris vie. Sa mère, assise face au spectateur dans la même pose que dans la première version, ses mains pleines d'arthrose sur ses genoux, arborait une expression plus douce, ne croisait plus les pieds, et portait une robe du bleu vif que David aimait tant, ce bleu vers lequel on avait envie de courir. Le tableau, lumineux, dégageait une impression de mélancolie que ses parents, heureusement, ne semblaient pas remarquer. Ces deux vieilles personnes étaient enchaînées l'une à l'autre mais séparées, chacune murée dans sa solitude. En achevant son œuvre, David s'était rendu compte qu'ils offraient un modèle dont il ne voulait pas : vieillir en couple, mais seul.

Ce serait le dernier de ses doubles portraits peints dans une veine réaliste. Les deux autres toiles accrochées dans la salle, que contemplaient maintenant ses parents et dont Henry et Gregory se chargeaient de leur expliquer la genèse, étaient très différentes. L'*Autoportrait à la guitare bleue* montrait David en train de dessiner une guitare bleue. Ce tableau était inclus dans celui qui se trouvait juste à côté, *Modèle avec autoportrait inachevé*, où il avait peint au premier plan un homme en robe de chambre bleue endormi sur un lit (Gregory). Ces œuvres aussi avaient leur histoire. L'été dernier, alors qu'il venait de recommencer le portrait de ses parents, David avait accompagné Henry à Fire Island, une île située à deux heures de New York qui comptait une importante communauté homosexuelle. Un après-midi, alors qu'ils étaient assis sur des chaises longues et vêtus de costumes trois-pièces en lin blanc qui contrastaient avec la nudité des beaux garçons plongeant dans la piscine devant eux, Henry lui avait lu un poème de Wallace Stevens inspiré par un tableau de Picasso. Le poème était très long, composé de trente-trois strophes qui, lues par la voix grave de Henry, berçaient David et le transportaient très loin de l'île du plaisir et du fracas des plongeons. La première strophe l'avait particulièrement frappé : « Ils lui dirent : "Ta guitare est bleue. Tu ne joues / Pas les choses comme elles sont." / Il rétorqua : "Les choses comme elles sont / changent quand on joue sur une guitare bleue." » D'autres vers retinrent son attention : « Je ne peux pas présenter un monde vraiment rond / même si je le rapièce comme je peux. » Ou bien : « La couleur est une pensée qui grandit / à partir d'une humeur... » Et la fin était très belle : « De jour nous oublierons, sauf quand / nous choisirons de jouer / Le pin imaginé, le geai imaginé. »

Alors qu'il écoutait Henry, David eut l'impression qu'on lui tendait la clef de lui-même. Il comprenait exactement ce que Stevens voulait dire – à propos de Picasso ou de n'importe quel peintre. La guitare bleue symbolisait le talent de l'artiste, qui ne pouvait pas jouer « les choses comme elles sont » parce qu'elles n'existaient pas en soi, mais seulement dans la représentation. La guitare bleue, c'était exactement ce que ses parents n'avaient pas, ce dont l'absence rendait leur vie sinistre. David avait reçu une guitare bleue à la naissance – le pouvoir d'imaginer et de « rapiécer » le monde. Il devait remercier ses parents, la nature, la vie, Dieu. Son don valait plus que tout.

Modèle avec autoportrait inachevé était hautement symbolique. David se trouvait dans le tableau, mais pas sur le même plan que la figure endormie sur le lit : à l'arrière-plan, peint sur une toile. En tant qu'artiste il restait à l'écart, séparé de Gregory ou de ses parents, dans un autre espace. Il avait compris que sa vie ne serait pas la même que celle de la plupart des gens. Il n'aurait pas de relation amoureuse stable, parce qu'il était marié à son art. Contrairement à Peter, Gregory admettait que David soit entièrement absorbé par son travail ; de son côté, il acceptait que Gregory ait des aventures. Leur couple était ouvert, ce qui simplifiait tout : pas de frustration, de jalousie, de crises. Leur pacte avait rendu David si serein qu'il parvenait même à revoir Peter, qu'il payait pour de petits boulots. Son ancien amant avait posé pour lui quand Gregory avait dû partir en voyage. Les pieds du dormeur étaient ceux de Peter. David les voyait maintenant sans émotion : le temps avait fait son œuvre. Certes, refaire l'amour avec Peter ne lui aurait pas déplu. Ce dernier ne voulait pas, et David s'y était résigné. À quarante ans il avait accepté ce qu'il était et n'était pas, ce que la vie lui donnait et ne lui donnait pas.

Elle était plus que généreuse. Il jouissait d'une liberté extraordinaire. Il avait quitté Paris où il devenait trop connu et il s'était réinstallé à Londres. Il avait vendu l'appartement où il avait vécu avec Peter – Ossie, puis Mo et une bande de drogués l'avaient occupé en son absence et laissé dans un état lamentable –, pour acheter un autre logement au dernier étage du même immeuble. L'an dernier il avait passé un mois au Château-Marmont de Los Angeles et retrouvé le plaisir de vivre en Californie ; il s'apprêtait à séjourner tout l'automne à New York ; il partait en vacances à Fire Island, en France, en Italie, et il était allé plus loin encore : à Tahiti, sur le chemin de l'Australie où vivaient deux de ses frères, en Nouvelle-Zélande, en Inde avec Kasmin – il n'avait pas aimé ce voyage, choqué par le système des castes et la terrible inégalité entre les riches et les pauvres... Il retournerait bientôt en Égypte. Presque chaque année il avait des expositions solo ou collectives à Londres, New York, Los Angeles, Paris, Berlin ou dans d'autres pays. Il prenait l'avion comme on prend un taxi.

Mais surtout, il avait des amis. Une communauté soudée sur deux continents, de vrais amis qu'il connaissait depuis des années ou des décennies, des amis chers à son cœur qui lui rendaient visite tous les jours ou voyageaient avec lui. Il usait de sa notoriété pour défendre la communauté gay, en particulier à Londres : il s'était battu contre la douane qui lui avait confisqué, au retour de Los Angeles, des numéros de

Physique Pictorial et d'autres revues du même genre sous prétexte qu'elles étaient pornographiques (il était très fier de ne pas s'être laissé faire ; à force d'appeler tous les jours, d'avoir avec des employés de plus en plus haut gradés des discussions dignes d'*Ubu roi* et de les menacer d'un procès, il avait récupéré ses exemplaires et avait gagné contre la douane de Sa Majesté !) ; plus récemment, il avait laissé un magazine gay publier des photos de lui nu, et il avait pris publiquement la défense d'une librairie gay où la police avait fait une descente.

Et il s'amusait bien. Il aurait été difficile de s'amuser davantage. Les vacances à Fire Island étaient inouïes. La fête commençait avec le thé de cinq heures et durait toute la nuit. Sexe, poppers, cocaïne et Quaalude… Les gens déliraient, complètement libérés, et les pauvres se mêlaient aux millionnaires, tous égaux dans la danse, la fête, la folie – pas tout à fait égaux puisque la vraie aristocratie était celle de la beauté. Toute cette beauté livrée aux regards était un vrai bonheur pour un voyeur comme lui. À New York il accompagnait son ami Joe McDonald, un mannequin qui connaissait tout le monde, au Studio 54, au Ramrod ou aux bains publics, et son plus grand plaisir consistait à regarder Joe, l'homme le plus beau qu'il ait jamais vu, draguer sous ses yeux, comme si le théâtre et la réalité étaient intimement mêlés. La vie lui avait vraiment réservé une loge royale. Il n'aurait échangé sa place contre celle de personne.

Il se sentait si bien en ce mois de juillet 77 où il eut quarante ans qu'il osa être lui-même jusqu'au bout. Après avoir pris position en tant qu'homosexuel, il revendiqua son statut d'artiste figuratif. L'année précédente une vive polémique avait opposé les milieux de l'art londonien au grand public, lorsque la Tate avait acquis une œuvre de l'artiste Carl Andre, cent vingt briques formant un long rectangle et intitulées *Equivalent VIII*. Des articles avaient paru, accusant le musée d'avoir gaspillé l'argent des contribuables en payant ce tas de briques plusieurs milliers de livres sterling. Pour sa défense, le directeur de l'institution avait cité l'exemple du cubisme, incompris et pourfendu en son temps. À l'occasion de l'exposition annuelle à la Hayward Gallery, le journaliste écossais Fyfe Robertson consacra une des émissions de *Robbie*, un programme télévisé populaire diffusé sur la BBC, à l'art contemporain en Angleterre, et invita David. Fyfe Robertson détestait l'art minimaliste et abstrait qui, selon lui, flouait le public. Jouant sur l'homonymie avec *fart* (« prout »), il avait même créé le mot-valise de *phart*, pour *phony art* (« l'art charlatan »). En entrant dans la salle où étaient exposées les toiles de David, il avait eu l'impression de revivre : c'était une oasis de lumière, de vie et d'humanité.

Loin d'exprimer sa solidarité avec ses collègues attaqués par le journaliste, David reconnut que la Hayward Gallery exposait quantité d'œuvres très ennuyeuses. Il osa dire à la télévision qu'il lui semblait quand même qu'un tableau devait avoir un sujet, représenter quelque chose. Il raconta la réaction de sa mère face à la corde de Flanagan, et ajouta que c'était à ses yeux une vraie question. La fabrication, l'artisanat, méprisés par les critiques d'art londoniens qui ne parlaient que d'idées et de théorie et qui formaient entre eux un petit cercle incestueux, faisaient partie de l'œuvre et méritaient d'être l'objet de discussions. Selon lui, il n'aurait pas dû y avoir une telle séparation entre l'élite et le peuple. Pourquoi seules les œuvres abstraites, accessibles à un tout petit nombre, étaient-elles considérées comme de l'art « sérieux » ? L'art ne devait-il pas s'adresser à tous ? Interviewé par Peter Fuller pour *Art Monthly*, il réitéra les mêmes propos, en ajoutant que la collection de la Tate était vraiment insignifiante.

Il n'avait pas peur de dire ce qu'il pensait et de lancer une bombe dans le milieu des critiques. L'art appartenait aux artistes, pas aux théoriciens. Après tout, il avait toujours avancé à contre-courant. Et il n'avait rien contre le scandale, qui attirait l'attention sur son travail. Mais il fut content de quitter Londres à l'automne et de se réfugier à New York, où il était plus tranquille pour peindre. En octobre ouvrit chez son galeriste new-yorkais, Andrew Emmerich, une exposition solo où furent montrées les mêmes œuvres qu'à Londres – auxquelles s'ajoutait le tableau représentant Henry en train de regarder des reproductions collées sur un paravent, qu'il avait fini entre-temps. Le soir du vernissage, une foule remplissait la galerie de la 57e Rue. Emmerich était content, car Hilton Kramer avait daigné venir. Entouré d'une cour qui l'écoutait religieusement, le grand critique américain bavardait aimablement avec l'artiste. Son nom circulait de bouche en bouche avec révérence. C'était un dieu dans son domaine, et sa présence avait valeur de consécration. Il était clair que David, à quarante ans tout juste, ne pouvait plus être ignoré.

Quelques jours plus tard, Emmerich l'appela de bon matin.

« L'article de Kramer vient de paraître. David, je suis désolé : il s'est moqué de nous. »

David haussa les sourcils. Il ne s'y attendait pas. Le jour du vernissage, le critique avait semblé apprécier son travail.

« C'est si mauvais que ça ?

— Il est dur. Perfide. Je ne sais pas quelle mouche l'a piqué. Il doit avoir quelque chose contre les Anglais, ou contre ton succès. Ta réputation ne dépend pas de lui, heureusement. Les autres papiers sont excellents, et tout est déjà vendu.

— Ça fait vingt-cinq ans que je peins, Andrew : ce n'est pas Kramer qui va me dire ce que je vaux. D'ailleurs, à mon avis, il est *has been*. Son attaque me flatte. »

Dès qu'il eut raccroché, David courut acheter le *New York Times* au *deli* du coin de la rue. Il lut l'article en retournant vers l'appartement qu'il louait, non loin de chez Henry. Kramer commençait par d'apparents compliments : les œuvres exposées à la galerie, écrivait-il, étaient agréables, distrayantes, et plaisaient vraiment au public. « Alors pourquoi, poursuivait-il, est-ce que je les trouve – disons, superficielles et même réactionnaires ? » Selon lui, il s'agissait d'un art de salon du XIXe siècle saupoudré de modernisme de seconde main. Il parlait du retour triomphant de ce qu'on pouvait appeler « l'art bourgeois », composé d'éléments qui avaient autrefois offensé le goût bourgeois. Il concluait en insinuant que David était un poids bien trop léger pour rendre justice à l'imagination de Wallace Stevens.

David rit. Kramer avait voulu le massacrer. L'article, avec ses questions rhétoriques, était pervers. Un assassinat. C'était toujours le même vieil argument – le sérieux contre le plaisir –, habillé de phrases bien tournées. Il découpa la colonne et la colla sur le mur de son atelier – petit rappel de la bêtise des critiques et de l'abîme qui les séparait des créateurs. Bien sûr qu'ils boudaient la notion de plaisir : prématurément aigris, sans autre talent que de dénigrer, ils haïssaient le succès, sauf celui qu'ils avaient artificiellement créé avec leurs mots pompeux !

Henry l'appela peu après. Il venait de voir le journal, il était désolé et voulait savoir si son ami n'était pas trop affecté. Sa sollicitude sincère agaça David car elle révélait le pouvoir du critique. Il comprit qu'il devrait s'attendre à des regards curieux, faussement compatissants, secrètement triomphants, et qu'il risquait dorénavant d'être étiqueté. La malveillance était universelle et le succès attirait l'envie. Il rassura Henry. Kramer ne le blessait en rien.

« Il traite de superficielles des œuvres auxquelles, tu le sais mieux que quiconque, j'ai passé des années à réfléchir ! C'est n'importe quoi. Enfin, rien d'étonnant : c'est un tout petit monde, et c'est moi qui ai déclenché les hostilités, après tout. Kramer a sûrement lu l'article d'*Art Monthly*. Il défend sa clique. »

Il avait des questions plus importantes à régler. Où vivre ? Dans quelle ville s'installer avec Gregory pour se mettre au travail ?

C'est la question qu'il se posa au printemps dès qu'il rentra d'Égypte où il avait emmené son ami Joe McDonald et même Peter, sans que Gregory manifeste de jalousie. La vie à Londres était bonne, mais trop remplie. Trop d'amis qui lui rendaient visite, trop de journalistes qui voulaient l'interviewer, trop de gens qui lui demandaient des faveurs (de dessiner une couverture de livre, une invitation pour une fête, un poster pour un gala de charité…). Il se sentait submergé et ne savait pas dire non. La publication de son livre autobiographique *My Early Years* en 76, l'exposition de la Hayward à l'été 77, *La flûte enchantée* dont il avait fait les décors pour le festival Glyndebourne en 78 l'avaient rendu trop célèbre. Il ne pouvait pas s'en plaindre. Mais il regrettait ses années californiennes, quand Peter et lui vivaient à Santa Monica et qu'il ne connaissait pas grand monde. Il avait peint dix-sept tableaux en un an ! Comment, à quarante et un ans, retrouver une telle solitude ? À Londres, c'était impossible, et il détestait son nouvel appartement avec vue sur le ciel où la lumière était certes excellente, mais où il se sentait isolé car il n'y voyait plus le spectacle de la rue.

La solution s'imposa : Los Angeles. « Tu es juste nostalgique des années Peter », lui dit Henry au téléphone. Pour une fois il ne pensait pas que Henry avait raison. Quand il était enfant, il n'avait pas assez de papier pour dessiner ; maintenant qu'il avait acquis la notoriété, lui manquait le vide d'où naissait la peinture. Après avoir fait les décors de deux opéras à la suite et réglé ses comptes avec le passé, il avait juste besoin d'un lieu où s'isoler pour peindre. À Los Angeles, il était encore à peu près anonyme, et la ville était si vaste et si étendue qu'il ne risquait pas d'y croiser grand monde. Son instinct lui disait qu'il fallait y partir.

Il devait s'arrêter juste quelques jours à New York sur le chemin de Los Angeles pour y récupérer son nouveau permis de conduire – et en profiter pour rendre visite à Henry et Joe McDonald –, mais son imprimeur américain, qui avait quitté la Californie et déménagé dans la banlieue de New York, insista pour que David vienne voir la nouvelle technique qu'il avait mise au point. Elle consistait à imprimer la couleur dans la pulpe de papier. Le procédé était très salissant, car on fabriquait le papier soi-même et on pataugeait dans l'eau. En bottes, couverts de longs tabliers en caoutchouc, les deux hommes découpèrent dans le métal des formes semblables à des moules à biscuits pour imprimer le dessin sur le papier. David passa toute une journée là-bas, puis y retourna le lendemain, et le surlendemain, et décida de reculer son départ. Il travaillait avec une telle ardeur qu'il pouvait rester seize heures de suite sur les planches en s'arrêtant à peine pour avaler quelque chose ou pour plonger dans la piscine afin de se rafraîchir, car la chaleur d'août était torride. Les couleurs étaient extraordinaires, si fortes et si intenses ! Il fit d'abord une série de tournesols en hommage à Van Gogh, le maître des couleurs vives. Il se demanda ensuite comment varier ses sujets et pensa aux piscines. Ce serait l'occasion d'utiliser à nouveau le bleu. Le soir il reprenait le train pour New York, dînait avec Henry ou sortait avec Joe puis, telle Cendrillon, s'excusait à minuit : il devait se réveiller tôt le lendemain pour retourner à Bedford. S'il avait pu, il aurait même cessé de dormir. En un mois et demi il réalisa trente piscines de papier. Un matin, ce fut fini. Il en avait épuisé le plaisir. Il s'envola pour L.A.

La chaleur y était plus sèche qu'à New York. Il retrouva avec bonheur les larges avenues bordées de maisons blanches et basses aux pelouses impeccables, le bleu du ciel et de la mer, l'air

aux parfums de jasmin et de cannabis, la végétation luxuriante. Son assistant lui avait trouvé un
petit appartement sur Miller Drive et un atelier
dans West Hollywood, sur Santa Monica Boulevard. Gregory, parti à Madrid avec un garçon
qu'il avait rencontré à Paris, lui manquait, mais
la solitude avait cela de bon qu'elle permettait
de réfléchir et de travailler tranquille. Il avait
enfin une idée pour une grande toile : il allait
peindre le spectacle de la rue à Los Angeles
comme on pouvait en faire l'expérience dans
une voiture qui roulait au pas. Ce serait un
tableau long comme Santa Monica Boulevard
où se trouvait son atelier, et chaque spectateur
devrait avoir l'impression d'être assis à côté de
lui dans sa décapotable. Plein d'énergie créative
après sa pause new-yorkaise, il se mit au travail.
Gregory rentra de Madrid, beau et bronzé, sa
tendresse accrue par sa reconnaissance envers
David, qui l'avait laissé vivre son aventure. Leurs
retrouvailles furent joyeuses ; l'esquisse du nouveau tableau enthousiasma Gregory.

Au cours de l'automne David, qui passait deux
jours par semaine à San Francisco où il donnait
des cours à l'Institut d'art, s'avisa qu'il n'entendait pas les voix des étudiantes, plus douces que
celles des garçons. Il alla voir un spécialiste qui
confirma ce qu'il craignait : son ouïe baissait,
il avait déjà perdu vingt-cinq pour cent de son
audition. C'était irréversible. « Tu n'entends
plus les filles ? Quel est le problème ? » plaisanta
Henry. Mais le phénomène ne ferait qu'empirer.

Il finirait comme son père, totalement sourd. C'était une idée très déprimante. Le médecin lui demanda s'il préférait un appareil dans l'oreille gauche ou dans l'oreille droite.

« Si j'en porte deux, j'entendrai mieux ?

— Oui, mais en général les gens n'en ont qu'un : c'est plus discret. »

Pour David une seule chose comptait : entendre la musique avec laquelle il vivait du matin au soir dans son atelier et dans sa voiture. Il commanda deux appareils que Gregory décréta très sexy après que David eut peint l'un en rouge pivoine, l'autre en bleu vif. Il n'y avait pas plus de raisons de se cacher d'être sourd que d'être homosexuel. Cette attitude positive avait toujours été la sienne et le resterait.

Pour l'instant, elle lui réussissait. En février 79 eut lieu une exposition de ses piscines de papier à la Warehouse Gallery de Covent Garden. Les critiques qui l'avaient dénigré l'année précédente comparèrent son nouveau travail aux nénuphars de Monet. Rien que ça ! Il fallait prendre garde à ne pas prêter plus d'attention à leurs éloges qu'à leurs attaques. Seul comptait le plaisir qu'il avait eu à réaliser cette série. David était sûr d'une chose : le plaisir, dans le travail comme dans la vie, était l'unique boussole. Les mêmes critiques qui avaient établi une équivalence entre plaisir et superficialité le portaient maintenant aux nues. Leur retournement paradoxal – ou leur manque de cohérence – avait de quoi le satisfaire, mais il ne peignait pas pour eux : il ne désirait rien tant que se surprendre lui-même.

Il partagea son succès avec ses parents et son frère Paul, qu'il fit venir à Londres et logea au Savoy. Pendant deux jours il se consacra à eux, les invitant dans les meilleurs restaurants et les emmenant même un soir voir une pantomime, comme au bon vieux temps à Bradford. Il arrivait un âge où l'on devenait le parent de ses propres parents. Son père, pour une fois, ne se plaignit de rien, et sa mère, à qui il offrit une robe chez Harrods, était joyeuse comme une jeune fille de vingt ans. Il était heureux de pouvoir l'égayer, cette mère tant aimée dont la vie quotidienne était dure aux côtés d'un mari silencieux, plus têtu qu'un enfant, qui ne prenait pas régulièrement son traitement contre le diabète et se retrouvait à l'hôpital presque une fois par mois pour y être perfusé, indifférent aux soucis qu'il causait à sa femme. C'est d'ailleurs ce qui se passa après leur bref séjour à Londres : Ken fit à nouveau des siennes et dut être hospitalisé.

Le téléphone sonna à six heures du matin, le jour suivant le retour à Los Angeles. Quand David décrocha et entendit la voix de son frère, il devina tout de suite qu'elle était porteuse de mauvaises nouvelles. Son père était mort pendant la nuit d'une crise cardiaque foudroyante. Il éclata en sanglots. Quand sa mère lui avait dit que Ken était hospitalisé, il ne s'était pas inquiété : on le mettrait sous perfusion et il sortirait de l'hôpital requinqué, comme d'habitude.

Il n'avait pas imaginé un instant que pouvait mourir le vieil homme qui à Londres, quelques jours plus tôt, gambadait partout et regardait tout ce qui l'entourait avec une curiosité que l'âge n'avait pas diminuée. La conversation qu'il n'avait jamais eue avec son père n'aurait plus jamais lieu. Le mot « jamais » prenait un nouveau sens : il ne concernait pas le passé mais était ouvert sur l'avenir et englobait l'éternité. David ne reverrait jamais son père. Ken avait disparu de la surface de la Terre, aussi intangible que s'il n'avait jamais existé.

David réserva une place sur le prochain Concorde et s'envola pour l'Europe. « Tu arrives dans une maison bien triste », lui dit sa mère quand il débarqua à Bradford et la serra dans ses bras, si petite, fragile et seule qu'il se sentit plus proche d'elle que jamais. Il ne put dire un mot lors des funérailles. Laura ne se pardonnait pas de ne pas être allée voir son époux le lendemain de son hospitalisation. Une tempête de neige avait recouvert Bradford d'un tapis blanc et la température était tombée bien au-dessous de zéro. Ken lui avait dit de rester au chaud : il ne servait à rien de sortir par ce froid au risque de tomber malade, quand il serait rentré chez lui dans deux jours à peine. Il avait eu la générosité de penser à elle, à sa santé, alors qu'il gisait loin des siens sur un lit d'hôpital. Elle l'avait laissé mourir seul, dans un lieu étranger. Elle avait cédé à la tentation du confort et le Ciel lui avait pris son compagnon.

Elle n'exprimait pas ces pensées mais David les devinait dans l'accablement de son regard. Il n'arrivait à rien faire d'autre que dessiner sa mère, comme s'il avait pu extraire la tristesse de son cœur à la pointe du crayon. Il pensa au portrait qu'il avait peint de ses parents, cette image de solitude et de silence. Il avait tout faux. Ken n'était peut-être pas l'homme le plus communicatif du monde, il était certainement égoïste et bougon, mais il avait toujours été là pour sa femme, et depuis cinquante ans elle n'avait jamais été seule. Tandis que lui, David, ce fils chéri qui croyait aimer sa mère et la comprendre mieux que quiconque, il serait reparti dans une semaine.

De Los Angeles il lui écrivit. « Tu avais merveilleusement choisi ton compagnon de vie. Ses motivations étaient comme les tiennes, dictées par la bonté. La combinaison était excellente. Ne sois pas triste. » Ces mots qu'il avait choisis pour adoucir le chagrin de sa mère allégèrent également sa propre peine. Ils étaient vrais. David songea qu'il n'y avait pas de raison de désespérer. Mort à soixante-quinze ans, Ken avait eu une vie longue et bien remplie, il avait été un bon père et un bon époux, il avait lutté pour des causes qui le passionnaient – contre le tabac, contre la guerre, contre le nucléaire –, c'était un homme de convictions qui avait transmis son opiniâtreté à ses enfants. Il vivait encore à travers eux et dans leur mémoire. Il était mort mais son esprit combatif était toujours là, cet esprit qui poussa

David, de passage à Londres après les obsèques, à enquêter sur la politique d'acquisition de la Tate, après avoir appris que le musée – qui ne possédait que deux tableaux de lui, achetés longtemps auparavant – avait dédaigné l'opportunité d'acquérir à un excellent prix une de ses piscines. Il donna une interview à *The Observer* et y déversa l'amertume que la mort de son père avait mise dans son cœur. Dans l'article, intitulé « Pas de joie à la Tate », il accusa le directeur du musée, qui avait pourtant pour mission de représenter tous les mouvements de l'art contemporain britannique, de favoriser un courant sans âme et purement théorique.

Entre l'exposition à Londres et la mort de son père, plusieurs semaines s'étaient écoulées, et son esprit avait voyagé loin de l'œuvre en cours. Il était désireux de s'y remettre quand il retourna à Los Angeles et entra dans son atelier, où le grand tableau était accroché sur le mur du fond. C'était Santa Monica Boulevard avec ses bâtiments rectangulaires, bas et colorés, son ciel bleu vif, son large trottoir, ses palmiers et leurs ombres. Quelques personnages y figuraient : un Noir en jean, marcel blanc et baskets appuyé contre une porte, une joggeuse à casquette en train de se reposer contre un poteau, un piéton, une personne qui traînait un caddie en regardant le prix d'une voiture à vendre. Les couleurs étaient celles de la Californie, crues, contrastées. Il n'avait jamais vu de tableau aussi ennuyeux. Il reconnut la frustration qu'il avait déjà éprouvée deux fois, en peignant *Portrait d'un artiste* puis *Mes parents,* jusqu'à ce que survienne le déclic qui lui avait permis de réaliser ses deux meilleures œuvres. Il fallait être patient et avoir confiance. Le sentiment d'échec faisait partie du processus de création. Tout artiste le savait, peintre, musicien ou écrivain.

La visite de sa mère lui permit de s'extraire de son souci. Il lui avait offert un billet d'avion pour qu'elle aille voir ses deux fils installés en Australie, dont l'un n'avait pas pu venir en Angleterre pour l'enterrement de leur père. Elle passa un mois chez eux et, au retour, fit escale à Los Angeles pour la première fois. C'étaient les vacances de Pâques en Angleterre ; David avait également invité Ann, son amie londonienne, avec son fils Byron, dans l'idée que la présence de cette femme chaleureuse et de l'adolescent de treize ans contribuerait à égayer sa mère. Laura était en deuil, elle avait l'air perdue, absente par moments, mais elle s'émerveillait de tout avec sa gentillesse habituelle, et en particulier du soleil constant et de la chaleur. « Avec tout ce soleil, demanda-t-elle un jour, comment se fait-il qu'il n'y ait pas de linge étendu dehors ? » La question avait de quoi faire sourire au pays des lave-linge et des sèche-linge, où la plupart des gens ignoraient qu'on pouvait faire sa lessive à la main et la laisser sécher en plein vent. David fut surpris de ne jamais s'être posé la question, lui qui avait passé sa jeunesse à laver son propre linge : il était donc déjà plus corrompu que sa mère. Il aimait l'étonnement avec lequel elle remarquait l'absence de draps claquant au vent. Cela l'impressionnait plus que tous les cinéastes, artistes ou acteurs célèbres qu'elle rencontrait sans les identifier aux soirées de Christopher et Don, dans leur vieille maison de style espagnol d'Adelaide Drive où ils tenaient salon – Dennis Hopper, Billy Wilder, Tony Richardson, Igor Stravinsky, George Cukor, Jack Nicholson et autres. David lui fit plaisir, toutefois, en invitant pour le thé Cary Grant dont elle avait vu tous les films.

Son innocence enfantine semblait à son fils la chose la plus précieuse au monde. Seul un enfant regardait le monde ainsi, sans se laisser distraire par les stupides préoccupations des adultes. Seul un enfant observait les fourmis qui ramassaient des miettes, les coccinelles, les gouttes d'eau tombant sur les feuilles, les flaques et les cailloux. David aimait la compagnie de Byron qui, fils unique élevé par une mère divorcée, s'exprimait aussi bien qu'un adulte, mais avec la logique d'un enfant. Il l'avait vu naître et grandir, puisque Ann habitait tout près de chez lui à Notting Hill et qu'il les fréquentait souvent dès qu'il était à Londres, mais il n'avait jamais vécu avec lui quinze jours de suite. Byron, aussi brun que sa mère était rousse, joli garçon aux grands yeux et au type italien, s'intéressait à tout, posait mille questions, mais savait aussi ne pas interrompre une conversation ou un silence, et regarder David peindre sans le déranger. Il désirait passionnément gagner quand ils jouaient aux cartes. David, avec lui, se sentait à la fois comme un père et comme un enfant.

Le séjour qu'il avait anticipé avec quelque crainte fut merveilleux de grâce et de légèreté. Ils s'entendaient tous si bien, et la Californie plaisait tant à sa mère, à Ann et à Byron qu'il les invita à revenir au plus vite. Ce serait dans des conditions plus confortables car il comptait s'installer dans une maison, maintenant qu'il était certain de rester à Los Angeles où il avait trouvé l'équilibre parfait entre solitude et communauté. Gregory en dénicha une pendant l'été dans les collines de Hollywood. Située au bout d'une impasse qui s'appelait Montcalm Avenue, enfouie dans la végétation, la villa, sans grand confort mais spacieuse, était composée de plusieurs bungalows et dotée d'une piscine. Ils y emménagèrent. Il fut décidé que Laura, Ann et Byron y viendraient pour Noël.

David travaillait sur un futur spectacle du Metropolitan Opera, un triptyque de musique française du début du XXᵉ siècle qui incluait un ballet de Satie, *Parade* – dont les décors avaient été réalisés par Picasso à la création, en 1917 –, *Les mamelles de Tirésias* de Peulenc et *L'enfant et les sortilèges* de Ravel ; le tout était regroupé sous le titre *Parade*. C'était son troisième opéra, et le premier en Amérique. Il n'avait pas encore trouvé de solution pour son grand tableau et avait besoin d'une distraction. La création de décors était plus facile que la peinture : il suffisait d'écouter l'opéra pendant des heures et de laisser son imagination vagabonder. La musique dictait les couleurs et les formes. Le travail était d'autant plus plaisant que le metteur en scène new-yorkais lui avait fait construire une maquette de la scène du Metropolitan avec un minisystème de barres, de cordes et même de lumières.

Ce théâtre fit la joie de Byron quand il revint passer les vacances de Noël à Los Angeles avec sa mère et Laura. Tout enchantait l'adolescent : la nouvelle maison nichée dans une végétation dense qui attirait les ratons, les opossums et les cerfs, la piscine en forme de haricot où il plongeait du matin au soir en poussant des cris de joie, le beau temps éternel qui lui permettait de nager en décembre, et surtout l'extraordinaire jouet grâce auquel David testait ses créations en des performances destinées à son petit public privilégié. Il était à présent secondé par son nouvel assistant de quatorze ans : Gregory, las de la répétition presque quotidienne du spectacle, était content de se faire remplacer. Pour Noël David, heureux d'avoir enfin quelqu'un avec qui partager un de ses plus grands plaisirs, emmena Byron à Disneyland. Ils essayèrent de nombreuses attractions et finirent par la préférée de David, les Pirates des Caraïbes. Quand le bateau chuta dans l'obscurité et que, au milieu des cliquetis de chaînes, quelque chose leur frôla le visage avec un bruit sinistre, l'enfant hurla et ses doigts s'enfoncèrent dans le bras de

David, qui criait aussi, de joie et non de terreur puisqu'il connaissait le trajet par cœur. Quand ils retrouvèrent vingt minutes plus tard leurs deux Anglaises – celle aux cheveux d'argent et celle aux cheveux roux – sur le banc où ils les avaient laissées, et que Byron se précipita vers sa mère en s'écriant qu'elle aurait dû venir, que ça ne faisait pas peur du tout, David sourit. Il ne voulait pas d'enfant, n'aurait guère trouvé le temps d'en éduquer un, mais s'il en avait eu un, il l'aurait souhaité comme Byron, vif, curieux, ouvert, sensible. Un peu plus tard, alors qu'ils se dirigeaient vers la sortie du parc au coucher du soleil, les deux femmes bras dessus bras dessous, David et Byron marchant devant elles en dégustant leurs barbes à papa, Ann éclata de rire : « Vous faites la paire, tous les deux. Je me demande quel est le plus jeune ! » On ne pouvait le flatter davantage. À la fin des deux semaines, qui passèrent beaucoup trop vite, il promit à Byron de l'emmener au Grand Canyon lors d'un prochain séjour. Les yeux du garçon s'illuminèrent. Il se tourna vers sa mère.

« On peut revenir à Pâques ? »

Les adultes rirent.

« Merci, David. Maintenant je vais entendre la même question tous les jours. Chéri, je te signale qu'on est venus deux fois cette année et que Los Angeles n'est pas la porte à côté ! D'ailleurs tu passes les vacances de Pâques avec ton père.

— Pour tes quinze ans, Byron.

— C'est dans trop longtemps ! »

David fut triste de les voir partir.

Sur le chemin de l'Angleterre, quelques mois plus tard, il s'arrêta à New York où venait d'ouvrir au MoMA une grande rétrospective de Picasso. L'œuvre du peintre espagnol remplissait les quarante-huit salles du musée. Dessins, gravures, eaux-fortes, tableaux, sculptures, tout y était, et de toutes les périodes : bleue, rose, cubiste… L'ampleur de l'exposition était étourdissante. C'était comme si Picasso avait peint tout le contenu du Louvre, comme s'il était à la fois Piero della Francesca, Vermeer, Rembrandt, Van Gogh et Degas. Un génie. Une œuvre immense, dans tous les sens du terme. Pendant les cinq jours que David passa à New York, il retourna chaque jour au MoMA, particulièrement frappé par un tableau de 51 qu'il ne connaissait pas, *Massacre en Corée*, peint par Picasso en pleine guerre de Corée et inspiré du *Tres de mayo* de Goya et de *L'exécution de Maximilien* de Manet. La toile – qui mettait en scène un groupe de femmes et d'enfants au visage déformé par la terreur face à des soldats masqués à l'allure de robots qui s'apprêtaient à les assassiner – combinait tout ce qui comptait pour David : la composition parfaite, la citation d'autres œuvres, le sens du temps, l'humanité et l'importance du sujet.

Il allait sur ses quarante-trois ans. Il était au milieu de sa vie. Qu'avait-il fait depuis sa rétrospective à la Whitechapel Gallery dix ans plus tôt, en 70 ? Il avait beaucoup travaillé, certes. Des dessins et des gravures en nombre, les décors de trois opéras, mais combien de tableaux ? Voulait-il rester dans l'histoire comme un dessinateur ou un décorateur de théâtre ?

L'exposition dégageait trop d'énergie positive pour qu'il se sente triste ou inquiet. L'urgence de peindre gonflait ses veines. Quand il arriva à Londres pour l'été, il réalisa à toute allure seize tableaux sur le thème de la musique inspirés par ses décors d'opéra. Il n'avait qu'un désir : retourner en Californie où il serait moins dérangé, et reprendre sa grande œuvre.

Un coup de fil du metteur en scène le jour de son retour lui apprit qu'une grève au Metropolitan Opera retarderait les représentations du triptyque sur lequel il avait travaillé avec tant de joie et risquait même de provoquer leur annulation. Il était de mauvaise humeur quand il franchit le seuil de son atelier et regarda *Santa Monica Boulevard*, en espérant que l'été lui aurait donné la distance nécessaire pour comprendre ce qui n'allait pas.

Le tableau lui sembla sans vie. Un désastre.

Dans un coin de la pièce se trouvait une petite toile qu'il avait peinte à toute allure, n'importe comment, sans autre but que d'essayer de nouvelles couleurs acryliques. Cette peinture qui évoquait par hasard un canyon lui sembla plus vivante et plus intéressante que la grosse machine sur laquelle il travaillait depuis presque deux ans. Pour l'encourager à peindre plus vite, Henry lui avait dit un jour qu'il n'y avait pas de rapport entre le temps que l'on passait sur une œuvre et le résultat. Une fois de plus il avait raison.

David se tourna impulsivement vers son assistant en pointant du doigt *Santa Monica Boulevard :* « Enlève-le, s'il te plaît. Tu peux le détruire. »

Cette nuit-là il ne dormit pas. Il se retourna dans son lit en se demandant comment il avait pu passer un an et demi sur une toile pour constater qu'elle était ratée. Il avait entièrement refait *Portrait d'un artiste* et *Mes parents*. Mais *Santa Monica Boulevard* était irrécupérable, il en était sûr. Avait-il entrepris cette œuvre pour les mauvaises raisons – juste pour faire un grand tableau ? La peinture l'avait-elle quitté en même temps que Peter ? En guérissant de Peter, avait-il renoncé au désir qui était à l'origine de la création ?

Il avait deux mains, deux jambes, deux yeux, une excellente technique, pourtant rien ne dépendait de lui. Peut-être avait-il perdu sa guitare bleue. Il n'y pouvait rien. Peut-être ne ferait-il plus que des décors – pour des opéras qui ne seraient même pas joués. Il fallait l'accepter. Cela valait mieux que de peindre des tableaux médiocres.

Il repensa à l'article de Hilton Kramer toujours punaisé sur le mur de son atelier et aux mots qu'avait prononcés un autre grand critique d'art américain, Clement Greenberg, onze ans plus tôt, en entrant dans la galerie d'Emmerich pour une exposition solo de David : « Une galerie sérieuse ne devrait pas exposer de telles œuvres. » Il s'était toujours gaussé du mépris des critiques et de cette notion de « sérieux ». Il se demanda soudain ce qu'ils avaient vu dans son travail, que lui ne voyait pas. Ne voyait pas, vraiment ? L'article de Kramer n'avait-il pas atteint son talon d'Achille, qui était sa peur de ne pas être un bon peintre ? David avait toujours été conscient de sa faiblesse. Il était excellent dessinateur et excellent coloriste, mais il y avait dans sa peinture quelque chose de figé : il n'avait pas la liberté d'un Picasso et ne l'aurait jamais. Il ne parvenait pas à créer la forme adéquate à sa vision. Par paresse et par facilité, il retombait dans les conventions du naturalisme bourgeois, et l'on pouvait croire qu'il se contentait de peindre des portraits réalistes comme un artiste du XIXᵉ siècle : Kramer n'avait pas tort. C'était tout le problème de ce nouveau tableau qui, loin de transmettre le mouvement dont il avait eu la vision, restait platement réaliste – sans vie. Le réalisme en peinture n'était pas le réel, mais une simple convention.

Les yeux grands ouverts, il regardait dans la pénombre le plafond de sa chambre, quand il se rappela le commentaire de Byron à Noël dernier devant le tableau :

« Ça me plaît, mais on dirait une image.

— Une image ?

— Oui. Ça n'a pas l'air vrai. C'est trop… droit. »

Ann avait ajouté : « Je comprends ce qu'il veut dire. C'est à cause de toutes ces lignes horizontales parallèles aux bords de la toile. » Sur le moment David n'avait guère fait attention à cette remarque, mais elle avait dû suffisamment l'intriguer pour rester logée dans un coin de sa mémoire. Les mots de l'adolescent lui parurent soudain lumineux. Byron avait identifié le problème. David avait composé sa toile d'après des photos qu'il avait prises du boulevard. C'était une erreur. Les photos étaient limitées par l'angle fixe d'où on les prenait, tandis que l'œil se déplaçait et changeait de point de vue quand on regardait quelque chose. Et surtout, on ne voyait pas seulement avec les yeux, mais aussi avec la mémoire et les humeurs.

Il eut l'impression qu'une petite lumière clignotait au bout du tunnel où il s'enfonçait depuis qu'il avait constaté l'échec de son projet. Peut-être y avait-il encore de l'espoir, s'il parvenait à changer radicalement sa manière de peindre. S'il ne composait plus à partir de photos mais de mémoire. S'il ne cherchait pas à faire un grand tableau mais peignait simplement ce qui comptait pour lui. Il serait plus proche de la vérité et de la vie.

Il avait le cœur léger en entrant dans son atelier le lendemain.

Depuis qu'il avait emménagé dans les collines de Hollywood, il faisait la route deux fois par jour entre Montcalm Avenue et West Hollywood tout en écoutant de la musique grâce à l'excellent système de haut-parleurs qu'il avait installé dans sa voiture. En fin de journée, il laissait derrière lui les autoroutes de Santa Monica et de Hollywood, grimpait les routes escarpées du canyon bordées d'une végétation luxuriante et odorante qui lui rappelait le sud de la France, et voyait soudain surgir à un tournant une éblouissante boule de feu ou le bleu rayonnant de la mer. Il calculait sa vitesse afin d'entendre à cet instant un air d'opéra en harmonie avec la vue. Ce n'était pas juste un trajet en voiture, mais le plus beau moment de sa journée. Voilà ce qu'il allait peindre.

Il fit un petit essai qui montrait son itinéraire à travers le canyon. Une route tortueuse était tracée à la verticale au centre de la toile, entourée de taches de couleurs vives qui représentaient les collines et la végétation avec, ici et là, des arbres ou une maison. Ce tableau n'avait rien à voir avec ceux qu'il avait peints jusque-là – sauf avec celui qu'il avait fait au hasard pour essayer les couleurs acryliques – et ressemblait à un dessin d'enfant. Le second fut plus grand, plus ambitieux : il peignit le trajet de sa maison à son atelier, dans des couleurs plus douces, avec une technique par moments presque pointilliste. La route ondulante traversait la toile horizontalement, bordée par un paysage plus complexe qui incluait des collines, des arbres, de la végétation basse, mais aussi un court de tennis, une piscine, un poteau électrique, un plan quadrillé de Downtown L.A., la mer à l'horizon. Tout était à la même échelle, comme dans ces cartes dessinées par les enfants. Ces deux tableaux, et ceux qui suivirent, n'étaient pas des paysages traditionnels mais des voyages dans le temps, des récits pleins de vie qui charmaient l'œil par leur équilibre de couleurs chaudes et de formes géométriques. Les critiques penseraient qu'il était retombé en enfance. David n'avait aucun doute : il s'engageait sur la bonne voie.

Il n'avait perdu son temps ni en travaillant à *Santa Monica Boulevard*, puisqu'il savait maintenant pourquoi son ancienne façon de peindre ne pouvait pas fonctionner, ni en créant des décors d'opéra, car le travail en trois dimensions avait changé son rapport à l'espace.

Le triptyque allait enfin être joué, avec un an de retard. En janvier 81, à New York où il assistait aux dernières répétitions de *Parade*, il rencontra un étudiant blond et mignon à un dîner chez Henry, dans la maison de la 9e Rue où ce dernier avait récemment emménagé avec un jeune amant. Il proposa à l'étudiant de venir à la répétition au Met ce soir-là. Quand ils sortirent de l'opéra à la fin du spectacle, la ville était plongée dans le noir : panne générale d'électricité. Le métro était fermé, il n'y avait pas de bus, il était impossible de trouver un taxi. Il ne restait qu'à redescendre à pied du Lincoln Center jusqu'à West Village. David sortit de sa poche un walkman tout neuf qui impressionna son compagnon, car le gadget venait d'être commercialisé ; il possédait même deux paires d'écouteurs. Il faisait très froid ; de la buée s'échappait de leurs bouches quand ils respiraient. La seule lumière provenait de la lune et des phares des voitures tandis qu'ils descendaient Broadway en passant par Times Square, Midtown et devant Flatiron, tous deux reliés par les fils qui sortaient de leurs oreilles et la musique qui explosait dans leurs tympans. Le jeune homme était beau, il semblait sensible et intelligent. Une nouvelle histoire était-elle possible ? Ian avait vingt-deux ans, et David presque le double. Il vivait à New York, et David à Los Angeles. Une génération et un continent les séparaient.

La première de *Parade* fut un triomphe. Tous les critiques s'accordèrent à dire que c'était son *Parade*, que ses décors et ses costumes avaient transformé le triptyque en un enchantement visuel. Quand le metteur en scène lui offrit de collaborer à un nouveau spectacle, David accepta, bien que Henry lui ait fait remarquer qu'il ne pourrait obtenir le même succès deux fois de suite et que la création des décors le détournerait à nouveau de la peinture. C'était exact, mais ce travail lui donnait un prétexte pour revenir souvent à New York.

Ian se rendait disponible dès que David l'appelait. Ils allaient voir des expositions ou des films, et dînaient au restaurant. David savait que Henry l'avait rencontré dans un bar homosexuel et que le jeune homme n'était pas farouche, mais il craignait de gâcher leur amitié naissante par un geste malencontreux. À la fin de l'année il suggéra à Ian de venir vivre à Los Angeles : il pourrait étudier à l'école Otis de design, l'équivalent de la Parsons, habiter chez David et travailler pour lui. Il en apprendrait davantage dans l'atelier qu'en cours. L'idée enthousiasma Ian, qui obtint son transfert et s'installa à L.A. en janvier 82. C'était la preuve dont David avait besoin. Ils partagèrent bientôt sa chambre à l'étage.

La vie vous faisait encore des cadeaux à quarante-cinq ans. Il suffisait de garder l'esprit ludique et d'oser : oser hurler de plaisir et de peur, oser dire qu'on aimait Disneyland, oser manger des barbes à papa, oser suivre son envie du moment, oser détruire son travail, oser essayer quelque chose de nouveau, jouer, faire tout ce que les adultes ne s'autorisaient pas. Rester connecté avec l'enfant en soi. Il repeignit avec Ian la maison de Montcalm Avenue, qu'il venait d'acheter. Ils choisirent des couleurs si tranchantes qu'on avait l'impression de marcher dans un tableau de Matisse : des murs rouge et vert vif, un plancher et des balustrades bleu de Prusse. Ils vidèrent la piscine où David traça des petites lignes ondulantes bleu foncé.

Le nouvel arrangement ne plaisait pas à Gregory, et David dut lui rappeler qu'ils avaient une relation ouverte, ce qu'il ne pouvait nier puisqu'il en avait profité. « Mais pas chez nous, pas sous tes yeux ! » s'exclama son amant. David rétorqua, non sans mauvaise foi, que ça ne faisait aucune différence. Mais il était sincère quand il supplia Gregory d'accepter une situation qui ne diminuait en rien la force de leur lien. Il l'aimait, ils travaillaient ensemble, ils avançaient tous deux sur le même chemin, tournés vers le même avenir, un avenir que leur assurait justement le pacte qu'ils avaient fait, fondant leur relation sur un attachement plus solide que le désir charnel. La fidélité était une notion bourgeoise. Il avait trop souffert avec Peter, de l'abandon, de la solitude. Ne plus être seul, c'était cela : garder un compagnon au-delà du désir. Ce qu'il y avait entre eux, l'amitié, le respect mutuel, les affinités esthétiques, le travail, la tendresse, était autrement important. Gregory se laissa convaincre, mais pour alléger son humeur, morose à l'approche de la nuit, il avait souvent recours à la bouteille, à la marijuana ou à des drogues plus dures.

Juste après l'arrivée de Ian un conservateur de Beaubourg vint demander à David de participer à une exposition sur la photographie et l'art. Il acheta sur place une grande quantité de films polaroid afin de photographier les clichés dont David ne retrouvait pas les négatifs, et repartit en laissant derrière lui une bonne quantité de ces pellicules coûteuses. Dès le lendemain de son départ, David céda à l'impulsion de les utiliser. Il photographia des détails dans différentes pièces de la maison sous des angles divers.

Alors qu'il collait ensemble les morceaux de *Ma maison, Montcalm Avenue, Los Angeles, vendredi 26 février 1982*, il sentit comme un picotement dans ses veines. Il reconnut la sensation : il avait eu la même quand il avait introduit des lettres et des chiffres dans ses peintures au Collège royal ou, plus récemment, quand il avait fabriqué ses piscines de papier à New York. Il n'y avait rien de plus important que cette sensation de plaisir dans le travail, qui l'absorbait comme le jeu absorbe un enfant. Il fallait la suivre, sans savoir encore où cela le mènerait. Son assemblage de trente clichés polaroid faisait circuler le spectateur de pièce en pièce, à travers l'espace et le temps, contrairement à une photo unique qui aurait figé un seul instant. Il ne s'agissait donc pas de photographie à proprement parler, mais de « peinture photographique ». Dix ans plus tôt il avait été choqué par une exposition au Victoria and Albert Museum à Londres intitulée « À partir d'aujourd'hui la peinture est morte : les débuts de la photographie ». Il prenait sa revanche en utilisant le médium photographique contre lui-même. Il subvertissait son usage en y réinjectant la durée et le mouvement.

Il réalisa cent cinquante collages en une semaine. Puis il se mit à photographier les gens et peignit en même temps des portraits, directement inspirés par les photomontages, de Ian, de Celia, de Gregory, qui avaient l'air de tableaux cubistes. Son addiction ne fit que croître quand il acheta un petit appareil photo Pentax et put faire des collages sans les bordures blanches des clichés polaroid qui interrompaient le flot spatial des images. Il ne se donna qu'une règle : ne pas couper les photos. Mais il n'était pas obligé de respecter les bords droits de la page. Une excitation fiévreuse l'empêchait de dormir. Il réveillait Ian ou Gregory en pleine nuit pour leur faire admirer son nouveau collage. Au téléphone avec Henry il ne parlait de rien d'autre et avait du mal à faire semblant de s'intéresser aux soucis professionnels de son plus proche ami. Henry lui dit qu'il était devenu dingue, et rebaptisa la maison sur Montcalm Avenue « Mont Hystérique ». David lui avoua en riant que Christopher l'avait comparé à un savant fou. Le sol de son atelier était couvert de milliers de photos. Il ne pouvait plus s'arrêter. Il venait d'achever une composition de cent soixante-huit clichés. La technologie nourrissait son exaltation : on pouvait maintenant développer les photos en une heure ! La seule difficulté, c'était de convaincre l'employé du laboratoire d'imprimer aussi celles qui semblaient ratées.

Comparé à la joie que lui donnaient ses nouvelles expérimentations ludiques, rien n'avait vraiment d'importance – sauf, peut-être, la lettre qu'il reçut de sa mère en juillet pour ses quarante-cinq ans, où cette femme merveilleuse et tant chérie abordait pour la première fois, dans une série de phrases hachées et contournées, le sujet de l'homosexualité, en confessant qu'elle n'y connaissait rien mais avait acheté quelques années plus tôt le livre du père Barnett sur le sujet, *L'homosexualité : toute la vérité*, dans l'espoir de mieux comprendre son fils. Elle exprimait sa crainte de ne pas avoir été une bonne mère, se demandait si les parents étaient responsables de cette « création particulière », et rendait grâce à son fils de ne jamais lui en avoir voulu. Elle lui souhaitait tout le bonheur possible. Cette lettre naïve contenait tant d'amour et de générosité, provenait d'une si belle âme, que David en la lisant rit et fut ému aux larmes.

Quant au reste… L'opéra de Stravinsky au Met n'avait guère été apprécié, comme l'avait prédit Henry ? Cela n'empêcha pas David d'accepter une autre proposition du Met, cette fois pour un ballet. Gregory buvait trop et devenait agressivement jaloux quand il était ivre ? C'était désolant, mais il finirait par comprendre à quel point il comptait pour David et par s'apaiser. Son ami Joe McDonald avait une pneumonie si grave qu'il avait dû être hospitalisé ? David alla le voir à New York, choqué de constater combien la maladie l'avait métamorphosé ; mais on s'occupait bien de lui, il finirait par guérir. Ian lui annonça qu'il retournait vivre sur la côte Est pour être plus près de son père à qui on venait de diagnostiquer un cancer ? David accepta philosophiquement le départ de son jeune amant – qui eut au moins l'avantage de contenter Gregory.

Henry lui rendit visite. David n'avait qu'une envie, lui montrer ses photomontages et partager son excitation avec lui, mais son ami n'écoutait que d'une oreille. Il s'apprêtait à démissionner de son poste de commissaire aux affaires culturelles pour la ville de New York où l'avait nommé Koch cinq ans plus tôt, un travail épuisant qui l'avait rendu malade. Quand il évoqua sa crainte de ne pouvoir faire face aux dépenses liées à sa santé, David comprit qu'il était venu lui emprunter de l'argent : son meilleur ami cherchait à profiter de lui ! Ils se disputèrent. Henry l'accusa de mesquinerie et d'égocentrisme, et partit plus tôt que prévu. Depuis vingt ans qu'ils se connaissaient, ils n'avaient jamais eu de dispute aussi grave.

En août Ann et Byron revinrent passer des vacances en Californie, pour la première fois depuis plus de deux ans. Comme promis, il emmena l'adolescent voir le Grand Canyon. Byron adora le désert. David prit des tonnes de photos : il voulait créer un collage qui donnerait l'impression de contempler le paysage avec des yeux tout autour de la tête, permettant au spectateur de voir en même temps l'herbe sèche à ses pieds, les couleurs orange et jaunes de la roche et ses fractures, enfin les montagnes à l'horizon. Alors qu'il était assis avec Byron sur la falaise, face à l'infini de ciel et de rochers rougis par le soleil couchant, il repensa à la lettre qu'il avait récemment reçue de Henry, où ce dernier lui disait combien il avait été déçu. Il rappelait à David qu'il l'avait soutenu dans les moments les plus difficiles, quand Peter l'avait quitté, quand son père était mort ; pour une fois qu'il avait à son tour besoin d'une oreille attentive et d'un soutien, celui qu'il croyait son ami ne l'avait pas écouté : sa passion exclusive pour son travail le rendait égoïste et sourd. David parla de la dispute à Byron, qui répondit sans hésiter :

« Tu dois t'excuser.

— Mais enfin, c'est lui qui m'a insulté ! Il ne s'intéresse pas à moi, à mon nouveau travail. Il est juste venu me prendre du fric !

— C'est qu'il en a besoin, non ? Ça ne devait pas être facile pour lui de t'en demander. Tu imagines ? »

David eut l'impression que Byron ôtait un bandeau de ses yeux. Il comprit que Henry s'était humilié et qu'il l'avait rejeté. Un garçon qui n'avait pas seize ans lui parlait avec la sagesse d'un vieillard – ou la lucidité de l'enfance. Il le remercia.

Il envoya à Henry une lettre d'excuses sincères et lui offrit son aide. Il écrivit aussi à Ian pour lui dire que la porte serait toujours ouverte et pour lui demander pardon d'avoir été absorbé par ses photomontages, sans doute moins instructifs pour l'étudiant qu'un travail de peinture.

C'était la bonne attitude puisque Henry se réconcilia avec lui et que Ian, deux mois plus tard, revint vivre en Californie.

IV

LA MORT EST SURÉVALUÉE

Un soir de novembre, alors qu'il était en train de dîner avec Gregory et Ian, le téléphone sonna. La personne à l'autre bout du fil, David Graves, était l'assistant de David à Londres et son ami depuis qu'il l'avait rencontré sept ans plus tôt à la première de *La carrière d'un libertin* à Glyndebourne. C'était aussi le compagnon d'Ann, dont Graves avait fait la connaissance chez des amis communs. Quand Graves dit : « David ? », la douceur de sa voix contenait quelque chose que David reconnut à l'instant, quelque chose de métallique qu'il avait entendu dans la voix de son frère un matin de février trois ans et demi plus tôt, comme une absence de résonance : la voix de la tragédie. Byron. Byron, qui venait d'avoir seize ans, Byron que David avait emmené pendant l'été voir les sources chaudes de Hot Springs, la ville fantôme de Calico dans le désert mojave et le Grand Canyon, et qui se trouvait trois mois plus tôt dans cette maison près de lui, en train de rire, de jouer aux cartes et au Scrabble, de faire des blagues, de l'aider à choisir soixante-seize clichés pour son photomontage, Byron qui lui avait donné les meilleurs conseils. Ses cris de joie et de peur à Disneyland quand il avait quatorze ans résonnaient encore aux oreilles de David. Mort. Byron avait consommé des champignons hallucinogènes – qui n'étaient pas illégaux en Angleterre –, il était descendu sur les rails du métro de Londres, et un train l'avait écrasé.

David prit l'avion pour l'Angleterre. Il ne savait quoi dire à Ann. Il n'y avait pas de mots. Si sa mère avait été l'image vivante du chagrin à la mort de son père, Ann n'était qu'un cri silencieux. Il la serra dans ses bras, ils s'accrochèrent l'un à l'autre comme des noyés et pleurèrent. Elle avait tout perdu. Il ne pouvait même pas commencer à imaginer ce que devait ressentir une femme qui avait porté un enfant dans son ventre, qui lui avait donné naissance, qui l'avait élevé – si bien élevé ! –, qui l'aimait de toute sa chair, de tout son cœur et de toute son âme, et qui n'avait pu le protéger de lui-même. Il n'y eut rien de plus triste que l'enterrement au cimetière de Kensal Greene cet après-midi du 11 novembre. Tous les amis du temps du Collège royal s'y trouvaient parmi lesquels le père de Byron, Michael. Cette tristesse, David l'exprima dans le photomontage qu'il réalisa juste après. Il représentait sa mère sous la pluie dans les ruines de l'abbaye de Bolton, vêtue d'un long imperméable vert à capuche, portant sur son visage ridé tout le chagrin du monde. Il invita Ann et Graves à venir à Los Angeles – et à s'y installer, pourquoi pas. Elle y avait moins de souvenirs de Byron qu'à Londres ; la chaleur, le soleil et la mer pourraient l'aider à survivre.

Sur le chemin du retour, il s'arrêta à New York pour voir Joe McDonald, rentré chez lui après son long séjour à l'hôpital. Il n'était guère plus en forme et restait alité ; sa mère s'occupait de lui. À trente-sept ans, on lui en aurait donné quatre-vingts. Ses muscles avaient fondu, laissant son corps maigre et décharné. Son visage s'était creusé comme celui d'un squelette. Il ne subsistait rien de sa beauté. On savait maintenant qu'il ne s'agissait pas d'une pneumonie mais de ce qu'on appelait le cancer gay, une maladie sexuellement transmissible qui attaquait le système naturel des défenses immunitaires. Il n'existait pas encore de traitement. David parla à Joe de son nouveau travail afin de le distraire et, avec son accord, le photographia pour un photomontage.

Sa mère, Ann et Graves passèrent les fêtes à Los Angeles, comme trois ans plus tôt, lors de ce Noël qui avait suivi la mort du père de David. C'était maintenant la plus âgée qui s'occupait de la plus jeune. Tandis qu'il travaillait avec Graves aux décors d'un ballet que lui avait commandés le Metropolitan Opera, Ann se promenait avec Laura et pleurait sur son épaule. Leur compatriote cinéaste qui vivait à L.A., Tony, les invita à passer la soirée du nouvel an chez lui. Il avait deux filles, dont la plus jeune avait l'âge de Byron : Ann dut quitter la fête avec Graves. Le soir, sur la terrasse de la maison de Montcalm Avenue peinte en bleu de Prusse, ils jouaient tous au Scrabble, tandis que David les prenait en photo. Il en fit un collage auquel il donna la forme irrégulière que dessinaient les mots sur le plateau. Sur la droite il superposa une douzaine d'images de sa mère concentrée sur le jeu (elle y excellait, gagnait toutes les parties), de son profil sérieux, de ses mains arthritiques nouées sous son menton ou déplaçant les lettres ; au milieu, huit photos d'Ann se recouvraient les unes les autres en partie et la montraient en train de réfléchir d'un air absorbé, la main sur le front, ou en train de rire parce qu'elle avait enfin trouvé un mot qui lui rapporterait à peine six points ; sur la gauche figuraient les clichés de Graves, tourné vers elle tendrement, le visage plein de sollicitude, et souriant quand elle avait l'air gai ; encore plus à gauche le chat jouait de son côté ou les regardait, imperturbable. L'harmonie de couleurs était inouïe. Le gris de la robe et des cheveux de sa mère faisait écho à celui du plateau de jeu, le roux des cheveux d'Ann à la table peinte en rouge, et le bleu de sa robe et le jaune de son collier renvoyaient au jacquard bleu, jaune et rouge du pull de Graves. Grâce au photomontage, il y aurait à jamais le souvenir non d'un moment figé dans le temps, mais d'une chaîne de moments pendant lesquels les parties de Scrabble avaient distrait Ann de sa douleur.

Il poursuivit les photomontages en Angleterre où il raccompagna sa mère et emmena Ian pour la première fois, puis au Japon où il avait été invité à donner une conférence. Cette fois, Gregory l'accompagna. Alors qu'il photographiait le jardin zen du temple Ryoan-ji à Kyoto, il s'avisa que son nouveau travail lui permettait d'altérer la perspective. Une photographie normale du jardin l'aurait transformé en triangle, tandis que le photomontage lui rendait sa forme rectangulaire, celle dont faisait l'expérience le promeneur méditatif qui marchait tout autour. Au retour du Japon il s'arrêta à New York où avaient lieu les dernières répétitions du ballet dont il avait fait les décors avec Graves, et rendit visite tous les jours à Joe MacDonald qui était à nouveau à l'hôpital, si malade et si faible qu'il fallait mettre un masque et des gants pour entrer dans sa chambre. C'était la fin. Ann le rejoignit à New York pour dire adieu à Joe, avec qui elle s'était aussi liée d'amitié.

Le 17 avril, Joe mourut. Tout le New York gay assista aux funérailles, la même foule qui remplissait les bars, les clubs et les bains publics aujourd'hui fermés, et qui dansait toute la nuit à Fire Island. On riait en se rappelant des moments chauds avec le sexy Joe, et l'instant d'après on était grave et on se demandait avec inquiétude qui serait le prochain touché par le sida. Par un de ces hasards que produit la vie avec indifférence et qui vous donnent l'impression d'être schizophrène, l'enterrement de Joe eut lieu le même jour que la répétition générale du ballet au Metropolitan Opera. David passa de l'un à l'autre. L'après-midi il fit, pour Joe, le discours qu'il n'avait pas eu la force de prononcer pour son père ou pour Byron, et frissonna en voyant le cercueil descendre dans la tombe ; le soir, l'humeur noire et le regard aigu, il vérifia que tout était parfait sur la scène du théâtre.

Comme tous ses amis homosexuels, il inspectait chaque jour son corps et même son dos dans le miroir, terrifié de voir apparaître la petite tache noire qui serait le premier signe du fléau. Il n'avait pas connu autant d'hommes que Joe mais il avait eu sa part d'aventures et de rencontres d'un jour – Dieu merci, il en avait surtout profité une décennie avant l'apparition de l'épidémie.

Joe, six mois après Byron, quatre ans après son père. Les trois âges de la vie frappés tour à tour. La mort de Joe n'avait pas plus de sens que celle de Byron. Comment quelque chose d'aussi bon, de sain et de libérateur que le sexe pouvait-il apporter la mort ? Et à la communauté gay entre toutes, qui s'était battue bec et ongles pour obtenir ses droits ? Comment cette atroce maladie pouvait-elle frapper comme si Dieu avait déversé sur eux une nouvelle pluie de soufre ? – ce que s'empressaient de clamer d'abominables conservateurs.

Accablé de tristesse et de fatigue, David avait besoin de vacances. Il emmena Ian, Graves et Ann à Hawaï. Quand ces derniers décidèrent sur un coup de tête de s'y marier après avoir vu une publicité pour une cérémonie kitch dans une grotte, David les photographia pour un photomontage. Au retour, une exposition de ses nouvelles œuvres photographiques ouvrit à New York. Il fut heureux de lire dans le *New York Times* qu'il avait « libéré la perspective photographique de la tyrannie de la lentille ». En revanche, la même exposition à Londres en juillet fut à peu près ignorée. Aucun critique anglais ne voyait l'intérêt de son travail avec l'appareil photo. On trouvait que le grand dessinateur qu'il était gâchait son talent et perdait son temps.

Il venait de faire construire un atelier à l'emplacement d'un court de tennis à côté de sa maison, sur Montcalm Avenue, et avait envie de se remettre à peindre. Quand le directeur d'un musée de Minneapolis lui proposa d'organiser une exposition de ses décors d'opéra, David commença par refuser : montrer des dessins et des schémas lui semblait ennuyeux. Mais l'idée lui vint de créer des tableaux inspirés par ses décors, et de les animer avec des personnages et des animaux. Il se jeta à corps perdu dans ce nouveau projet. Il n'avait que quelques mois pour réaliser les immenses peintures et les figures. Il travaillait de l'aube à la nuit tombée avec ses assistants. Chaque jour un nouveau défi occupait son esprit. Comment représenter les personnages d'une façon qui ne soit pas banalement réaliste ? Dans un coin de son studio étaient empilées de petites toiles vierges dont il n'avait jamais eu l'usage. Et s'il les assemblait – comme ses photos – en peignant sur chacune un morceau de corps différent : la tête, le torse, les jambes ? Et les animaux ? Il n'allait quand même pas acheter des peluches dans des magasins de jouets. Il les découpa dans de grandes feuilles d'épais polystyrène qu'il peignit. Le travail, très physique, avait l'avantage de l'épuiser : la nuit il s'écroulait et sombrait dans un sommeil sans rêve.

Tout en fabriquant cet univers de conte de fées à la force du poignet avec l'aide de ses assistants, il dessinait et peignait des portraits – de lui, de Ian – inspirés par les photomontages. Dans l'un d'eux il superposa deux figures de Ian, l'une où son amant dormait comme un ange sous le regard attendri de David, l'autre où il redressait une tête ébouriffée et lui rentrait le doigt dans l'œil, furieux d'avoir été réveillé par des caresses alors qu'il n'avait pas envie de faire l'amour. Ian éclata de rire quand il vit le dessin : « Je suis si méchant que ça, vraiment ? » Il était clair qu'il était revenu à L.A. pour s'amuser, pas pour David. Ce dernier n'avait plus l'âge d'accompagner le jeune homme aux fêtes où il allait tous les soirs, d'autant qu'il n'avait jamais vraiment été un fêtard, même du temps où il suivait Joe au Ramrod ou au Studio 54 : son plaisir consistait surtout à regarder. Ian rentrait à l'aube, peu avant que David se lève.

À quarante-six ans, il se sentait vieux pour

la première fois. C'est ainsi qu'il se représenta dans ses dessins et ses tableaux. Ce n'était plus le garçon blond éternellement juvénile avec ses chaussettes dépareillées et son polo rayé, mais un homme nu avec un pénis en érection et un désir qu'il ne pouvait pas satisfaire, ou bien un homme fatigué glissant lentement mais sûrement vers un âge que ni Joe ni Byron n'atteindraient jamais. Quand Ian lui annonça un soir qu'il allait déménager, David n'en fut pas surpris. Il n'y eut pas de scène. Il avait toujours su que Ian le quitterait. Ce n'était pas la fin du monde, vraiment, même si ça faisait mal. Il ne pouvait pas se plaindre. Il n'était pas mort, et Ian non plus. Il n'était même pas seul, car Gregory était là, son loyal et fidèle Gregory qui travaillait, dînait, fumait, buvait et discutait avec lui jusque tard dans la nuit. Gregory n'était pas facile, l'alcool ou la drogue pouvaient le rendre violent, et David l'avait plusieurs fois conduit à l'hôpital au milieu de la nuit, mais il se battait contre ses démons. Sobre, c'était le meilleur des amis, des amants, des assistants.

Au Walker Art Center de Minneapolis où David s'était rendu avec Gregory pour le vernissage de l'exposition de ses décors d'opéra, un livre à la couverture noire intitulé *Principes de la peinture chinoise*, du Pr Rowley, attira son regard dans la librairie du musée. Il avait voyagé en Chine un an plus tôt et ne s'intéressait guère à la peinture chinoise qui lui semblait peu variée. Il l'ouvrit pourtant sans savoir pourquoi et regarda la table des matières. Un chapitre intitulé « Séquence et point focal changeant » piqua sa curiosité. Il acheta l'ouvrage et commença sa lecture dès son retour dans leur chambre d'hôtel.

C'est peu dire que ce livre le passionna : il le bouleversa. Dans ses pages était théorisé tout ce qu'il cherchait à tâtons depuis quatre ou cinq ans avec ses nouvelles expériences photographiques et picturales. Il apprit qu'il était passé sans le savoir d'une tradition occidentale limitée à une tradition orientale plus ouverte. La peinture européenne était à jamais liée à l'invention de la perspective au XVe siècle. C'était précisément la tyrannie de la perspective que David tentait de fuir dans ses photomontages et ses tableaux qui se déplaçaient à travers l'espace et le temps. Les Chinois faisaient la même chose. Dans leurs œuvres, ils montraient à la fois l'intérieur et l'extérieur et ne bornaient pas le regard qui, dans la vie, n'était pas borné par la perspective. « Ils pratiquent le principe du point focal changeant, qui permet à l'œil de se promener tandis que le spectateur flâne en imagination dans le paysage », lut David. Il aurait pu écrire chacun de ces mots. Le Pr Rowley faisait une suggestion fascinante concernant la perspective linéaire : « La perspective inversée, où les lignes convergent dans l'œil du spectateur et non dans le point de fuite, aurait été psychologiquement beaucoup plus vraie. » L'expression « perspective inversée » résumait ce dont David avait eu l'intuition des années plus tôt quand il avait peint son tableau *Kerby* d'après une image de Hogarth illustrant les erreurs grossières qu'on commettait quand on ignorait les lois de la perspective : il s'était dit à l'époque que ces erreurs constituaient un espace plus vrai que le soi-disant espace réaliste, car elles ouvraient l'imaginaire – ce qu'il y avait en nous de plus individuel et de plus subjectif.

Fallait-il croire au hasard ou au destin ? Par quel miracle le directeur du Walker Art Center de Minneapolis avait-il eu l'idée d'organiser une exposition qui avait conduit David dans cette ville éloignée où il avait trouvé le livre qui illuminait son travail ? C'était hallucinant. Un docteur ès lettres, professeur à Princeton, avait publié ce livre quarante ans plus tôt, quand David en avait six. Les phrases qu'il lisait donnaient à sa recherche le cadre théorique dont a besoin tout artiste qui se respecte et veut être pris au sérieux. Il avait beau détester cette notion de « sérieux » au nom de laquelle les critiques d'art élitistes et snobs méprisaient ses tableaux gais et colorés, il avait fini par comprendre que son travail n'était pas déterminé par une simple quête hédoniste. Il s'agissait d'une exploration, comme le disait Picasso qui avait eu un jour cette phrase que David n'avait pas oubliée : « Je ne fais pas des tableaux ; j'explore. »

Alors même qu'il était encore habité par le souvenir des récentes funérailles de Joe et de Byron, il n'avait jamais été aussi exalté. Au cours des mois suivants il prit rendez-vous avec

les conservateurs d'art oriental du Metropolitan Museum et du British Museum. Au Met, en
janvier, on lui montra un rouleau de vingt-deux
mètres de longueur, une commande de l'empereur chinois datant de 1690. David passa quatre
heures agenouillé à dérouler le parchemin et à
observer chaque minutieux détail, chaque petit
personnage d'*Une journée sur le Grand Canal avec
l'empereur de Chine*. Il avait du mal à contenir
son enthousiasme. Cette découverte majeure
réunissait ses deux passions, la peinture et la
musique, car elle lui avait ouvert l'accès à une
autre sorte de peinture qui, comme la musique,
avait des mélodies et des contrepoints, des cres-
cendos et des diminuendos, et s'éprouvait dans
le temps.

De retour à Los Angeles, très inspiré, il se
lança dans un large tableau qui représentait une
visite chez ses amis Mo et Lisa avec un point
focal changeant permettant de circuler à travers
les pièces. Il peignit ensuite une déambulation
chez Christopher et Don, depuis l'atelier où
Don était en train de peindre la vue sur la mer
jusqu'au bureau de Christopher, à l'autre bout,
où l'œuvre de Don, achevée, était suspendue
au mur. David se contenta de dessiner au trait
les silhouettes des personnages pour qu'ils ne
distraient pas le regard du vrai sujet, qui était
l'exploration, le déplacement dans le temps. Et
c'était simultanément une explosion de formes
et de couleurs où les teintes chaudes l'empor-
taient maintenant sur les teintes froides et où

l'œil était attiré, absorbé, sans même savoir encore ce qu'il regardait.

Il fut désolé d'avoir à s'interrompre pour se rendre avec Gregory et Graves au vernissage de l'exposition sur ses décors de théâtre qui se tenait au musée Tamayo de Mexico. Sur le chemin du retour, la voiture tomba en panne et ils durent passer cinq jours à attendre sa réparation dans une petite ville mexicaine, Acatlán, où il n'y avait strictement rien à faire. Graves et Gregory noyaient leur ennui dans la tequila tandis que David, extatique, contemplait la cour intérieure de l'hôtel en imaginant son prochain tableau : il représenterait en perspective inversée la marche d'un promeneur solitaire autour de cette cour. Il n'y aurait pas de figure car le personnage à l'intérieur du tableau, ce serait le spectateur, que David ferait rentrer dans l'œuvre grâce à cette nouvelle façon de représenter l'espace.

Son nom était de plus en plus célèbre. Plusieurs expositions lui étaient consacrées chaque année dans différents pays. La vente par Emmerich de *La visite à Mo et Lisa* avait dépassé les six chiffres, comme on disait aux États-Unis. Son frère aîné, Paul, un ancien comptable qui avait été maire de Bradford, avait quitté la politique et gérait maintenant ses affaires. Ensemble, ils prirent une décision : David n'accorderait plus de droits exclusifs à aucune galerie et contrôlerait lui-même le destin de son travail. Il serait le maître chez lui.

Car tout le reste échappait à son contrôle. Ian

avait emménagé avec un jeune acteur, et même si c'était une évolution naturelle, David gardait un goût amer qui lui rappelait la trahison de Peter. À Paris, ses deux amis les plus proches moururent du sida l'un après l'autre. Le mois où le deuxième fut enterré, Christopher succomba à son tour à un cancer à Los Angeles. Il était mort à un âge « normal », quatre-vingt-deux ans, après une vie longue et riche, mais son départ laissa en David un manque à la mesure de son affection pour lui. Des amis proches, à Los Angeles, New York, Londres, Paris, avaient le sida et quelques mois ou quelques années à vivre. Ann et Graves avaient décidé de rentrer en Angleterre, alors même que David les avait suppliés de changer d'avis : qu'iraient-ils faire dans la sinistre Londres ? Ann reconnaissait que le déménagement à Los Angeles lui avait sauvé la vie et en était infiniment reconnaissante à David, mais elle éprouvait maintenant le besoin de retourner chez elle et de retrouver ses racines. Malgré plusieurs tentatives, elle n'avait jamais obtenu son permis de conduire, et la vie à L.A. sans voiture la rendait trop dépendante. Tout en comprenant ses raisons, il se sentait abandonné. Quelques mots dans une lettre qu'elle lui écrivit après son départ pour le remercier le frappèrent : « Tu es par essence une île, David. Ton mécanisme se remonte tout seul. »

Il ne voulait pas être une île. Il aimait la compagnie, il souhaitait avoir une famille, des amis, des gens autour de lui, pour l'aider à ne pas penser à tous ceux qui étaient morts ou allaient mourir. Mais le dernier d'entre eux l'abandonna aussi. Gregory, au retour d'une cure de désintoxication d'un mois, lui annonça un soir qu'il devait quitter Montcalm Avenue s'il voulait rester sobre.

« N'importe quoi. Ne touche pas à la bouteille, c'est tout.

— David, tu bois tous les soirs, des amis viennent, la drogue circule. C'est impossible de résister.

— Mais non. Je t'aiderai.

— Tu ne m'écoutes pas. J'ai trouvé un appartement à Eco Park, près de chez Mo et Lisa. Je déménage demain.

— Mais tu es fou ! Et moi ?

— Tu ne penses qu'à toi ! Pour moi c'est une question de vie ou de mort.

— Tu ne crois pas que tu dramatises ? C'est le psy que je paie qui t'a mis ces idées dans la tête ?

— Ça ne nous empêchera pas de continuer à travailler ensemble.

— Si tu pars, tu ne remets plus les pieds ici. »

Le lendemain, Gregory fit ses valises.

Gregory, qui partageait sa vie depuis dix ans, sur qui il avait toujours pu compter et qu'il avait aidé un nombre incalculable de fois, dont il avait payé les frais de santé et subi les insultes sans lui en garder rancune, Gregory qu'il avait toujours laissé libre le trahissait aussi, quand Ian lui avait enfin cédé la place ! David en fut si blessé qu'il lui fit envoyer par son frère une lettre officielle qui le congédiait comme un vulgaire employé, lui demandait de rendre la clef de la maison et même de rembourser les factures de la clinique. Le chagrin le rendait mesquin.

Seul le travail le sauvait de la solitude où l'enfermaient sa surdité croissante, la mort de ses amis, le départ d'Ann et de Graves, la rupture avec Gregory, et sa peur d'une sexualité aux conséquences fatales. Il ne se sentait plus seul dès qu'il était concentré sur une feuille, une toile ou un écran. Le plaisir de découvrir une machine lui donnait envie de jouer en oubliant tout le reste. Il acheta un ordinateur sur lequel il pouvait dessiner avec un crayon électronique. Il avait l'impression de peindre avec de la lumière : une expérience extraordinaire. Une nouvelle photocopieuse lui permit d'agrandir et de réduire les images, et même de photocopier des objets réels : on pouvait fabriquer de l'art avec une humble photocopieuse de bureau. Bientôt il put relier directement l'appareil photo à l'imprimante et imprimer à sa guise ses propres lithographies, autant de fois et aussi vite qu'il le voulait, sur du papier Arches qu'il importait de France.

Il était plus occupé que jamais : il avait accepté une commande du magazine français *Vogue* qui lui avait donné carte blanche sur quarante pages – une excellente opportunité d'exposer ses idées sur le cubisme et la perspective et d'expliquer qu'il n'y avait pas de distorsion du réel quand Picasso peignait Dora Maar avec trois yeux et deux nez, mais qu'il s'agissait au contraire d'une réalité intime : le visage tel qu'il était vu par l'artiste qui s'en approchait pour l'embrasser. *La flûte enchantée* allait être rejouée à l'Opéra de San Francisco, il créait les décors de *Tristan et Isolde* pour le nouvel Opéra de Los Angeles, et réalisa pour *Vanity Fair* le plus complexe de ses photomontages, le croisement de deux routes dans le désert, *L'autoroute Pearblossom,* où même les panneaux routiers étaient composés de plusieurs photos, et où l'on voyait clairement comment l'altération de la perspective rendait le paysage plus vivant et plus réel. Il préparait avec ardeur la deuxième rétrospective de son travail qui ouvrirait dans deux ans au LACMA, le musée d'art contemporain de Los Angeles.

Il fit autre chose : il acheta la villa à côté de la sienne et tenta de convaincre Celia de venir y habiter – mais ses fils adolescents refusaient de s'expatrier et elle devait aussi s'occuper de sa vieille mère. Il finit par offrir la maison à Ian et à son petit ami, qui s'y installèrent à l'été 87. Mieux valait tenir à l'écart la jalousie, l'amertume, le ressentiment, tous les sentiments négatifs. Pourquoi ne pas simplement être amis ? Ian, ce garçon adorable, n'était-il pas comme un fils ? David avait la chance inouïe d'avoir échappé au sida. Il n'avait plus besoin de sexe. L'amitié suffisait. Pour ses cinquante ans, en juillet, Ian lui offrit un tout jeune teckel, le bébé de son propre chien. David n'avait jamais eu d'animal domestique : sa vie nomade entre plusieurs continents ne le lui permettait pas. Il n'aurait jamais imaginé qu'il s'attacherait à un chien. Il eut du mal à croire à ce qui lui arrivait : il tomba instantanément amoureux du chiot. Il le nomma Stanley en souvenir de son père qui adorait l'acteur Stan Laurel, et lui procura bientôt un petit compagnon pour qu'il ne se sente pas seul. Il avait maintenant une bonne raison pour cesser de voyager et pour rester dans son foyer avec ses chers teckels, près de ses chers amis. Pour le nouvel an il organisa avec Ian une grande fête où se mêlèrent les générations. La maison de Montcalm Avenue vibra à nouveau de musique, de rire et de bruit, et le seul bémol fut le vol du portrait picassoïde de Celia, sans doute par un des jeunes invités de Ian. Le tableau ne fut pas retrouvé.

La rétrospective qui ouvrit au LACMA en avril 88 montrait trente ans de son travail. Le jour du vernissage, alors qu'il marchait à travers les salles qui contenaient les dessins, les eaux-fortes, les portraits, les grands tableaux californiens, les photomontages, les décors d'opéra, et même des images provenant de sa propre imprimante, David se demanda si son œuvre n'avait pas une ambition similaire à celle de Proust, qu'il avait relue au fil des ans et qui était construite comme une cathédrale autour d'une quête spirituelle : la recherche du temps perdu – celle du lien entre nos différents moi qui ne cessaient de mourir tour à tour. David, quant à lui, n'était-il pas depuis le début à la recherche du mouvement perdu ? Il avait toujours peint par plaisir, en suivant son impulsion envers et contre tout, sans compromis, fidèle à son propre désir. Cette notion de plaisir décriée, taxée de superficialité, ne contenait-elle pas quelque chose d'essentiel ? N'était-elle pas l'équivalent de la vie ? N'était-ce pas la raison pour laquelle il renonçait à un style dès qu'il commençait à s'ennuyer, c'est-à-dire dès que la vie s'en éloignait ? Pour peindre, n'avait-il pas toujours eu besoin de ressentir une émotion, et l'émotion n'était-elle pas la même chose, étymologiquement, que le mouvement, et donc la vie ? Son œuvre n'était donc pas juste un refuge où fuir la douleur, mais une construction qui contribuait à sauver la peinture, cet art qu'on avait cru condamné face à la photographie et au cinéma. Elle montrait que la peinture était l'art le plus puissant, le plus réel, parce qu'elle contenait la mémoire, les émotions, la subjectivité, le temps : la vie. C'était en ce sens qu'elle sauvait de la mort.

Pour une exposition à Arles en hommage à Van Gogh, David peignit la fameuse petite chaise de l'artiste avec une perspective inversée : la perspective « erronée », tout comme les tableaux cubistes qui révélaient la réalité de la perception, donnait à la chaise une dimension si humaine et affective qu'il en refit une aussitôt, et l'ajouta aux œuvres de la rétrospective du LACMA quand elle parvint en octobre à Londres, après un passage par New York. Les gens se ruèrent à la Tate. Le téléphone sonnait tout le temps. Le public adorait l'exposition. Les critiques d'art n'étaient pas absolument négatifs, mais appelaient David « l'enfant perdu de la peinture contemporaine » et le trouvaient ennuyeux comme un vieux maître d'école du nord de l'Angleterre quand il déblatérait sur la tyrannie de la perspective. Son travail ne leur arrachait pas des cris d'extase comme celui du nouveau petit génie de l'art britannique, le jeune Damien Hirst.

Leurs réticences réveillèrent en David son vieil esprit provocateur. Une bande de réactionnaires en Angleterre gardaient l'entrée de l'« art » avec des piques ? Il leur montrerait de quoi était capable un garçon du Yorkshire qui vivait à Los Angeles. Ils étaient élitistes ? Il serait égalitaire. Radicalement. Il rendrait l'art accessible à tous. Il avait déjà commis un acte subversif l'année précédente quand une gravure originale « maison » d'une balle en train de rebondir avait été distribuée à dix mille exemplaires avec le journal local de Bradford. Cette fois il irait plus loin.

Il avait été invité à participer à la biennale de São Paulo. Il décida d'envoyer son œuvre par fax. Henry, commissaire de l'exposition, trouva l'idée originale ; les organisateurs de la biennale crurent à une plaisanterie.

Il ne plaisantait pas.

Les lignes téléphoniques n'étant pas très fiables au Brésil, il dut envoyer son travail depuis son atelier à un autre télécopieur à Los Angeles, et son assistant s'envola pour São Paulo avec les fax dans une valise. David n'y alla pas. Puisqu'il s'agissait d'une exposition par fax, il répondrait aux interviews par fax.

Le télécopieur, c'était le téléphone du sourd. Depuis que sa sœur Margaret, malentendante comme lui, lui avait fait acheter un des premiers appareils vendus sur le marché, il avait posté chaque jour par fax des dessins à ses amis et à sa famille sur les deux continents. Ils étaient souvent composés de plusieurs feuilles qu'il fallait assembler à l'arrivée. D'abord quatre feuilles de papier, puis huit, puis vingt-quatre, et ainsi de suite.

Le 10 novembre 89, le lendemain de la chute du mur de Berlin, il envoya un fax de cent quarante-quatre pages, l'image stylisée d'un match de tennis, à la galerie que son jeune ami Jonathan Silver, son concitoyen de Bradford devenu un riche homme d'affaires et un mécène des arts, avait ouverte dans leur ville natale, dans une ancienne usine de sel, pour y exposer les gravures de David. Il était seul avec son assistant dans son atelier de Californie, au calme, dans la lumière du matin, et introduisait une à une dans la machine les feuilles qui étaient reçues à des milliers de kilomètres de là, au même moment mais la nuit, dans un lieu où étaient réunies quelques centaines de personnes qui assistaient à l'assemblage de l'immense puzzle tout en applaudissant, en riant et en buvant du vin. Il était merveilleux de penser que sa performance artistique avait le pouvoir d'annihiler la distance en liant le jour et la nuit et plusieurs continents :

c'était le meilleur moyen de lutter contre la solitude. Sa propre façon d'abolir les murs.

Mo, son premier modèle, son ancien amant, son ami, son assistant, venait de mourir à quarante-sept ans, après avoir replongé dans l'alcoolisme quand sa femme l'avait quitté. Nick, son premier ami et premier galeriste à Los Angeles, décéda à New York du sida, à cinquante et un ans, ainsi que le partenaire de Kasmin à Londres, un proche ami de David lui aussi. Puis ce fut le tour d'un autre ami qui n'avait que trente-huit ans : il travaillait chez Emmerich et, grâce à ses contacts, avait levé un million de dollars pour aider les malades du sida. Les milieux de l'art étaient décimés. Quand David prenait l'avion, maintenant, c'était pour se rendre à des funérailles. Les églises, les synagogues et les cimetières étaient les lieux où il revoyait ceux qui restaient. Ils étaient si nombreux à mourir qu'on ne pouvait plus pleurer. Henry, qui consacrait son énergie à la cause des victimes du sida, avait été épargné, Dieu merci. Mais Ian lui annonça un soir qu'il était séropositif. David le prit dans ses bras et dut lutter pour ne pas fondre en larmes.

« La séropositivité, ce n'est pas la maladie. Tu es jeune, Ian. Tu vas t'en sortir. Ils vont trouver un vaccin. »

On ne pouvait ni dire ni croire autre chose.

Au milieu de cette hécatombe, un nouvel homme entra dans sa vie. David avait rencontré John, qui avait alors vingt ans à peine, quelques années plus tôt chez un ami à Londres, et l'avait invité en Californie où il lui avait rendu visite l'année suivante avec son petit ami. Le jeune homme, cuisinier de son état, lui avait récemment écrit pour lui demander du travail. Il débarqua à Los Angeles et David tomba peu à peu sous le charme de l'Anglais de vingt-trois ans, grand et beau, plein d'humour, sensuel, qui préparait le meilleur *fish and chips* qui soit et qui aimait tous les plaisirs, la nourriture, la cigarette, la drogue, l'alcool, le sexe, la nage. John le réconcilia avec son corps. Il apportait avec lui une vitalité dont David, à cinquante-deux ans, avait plus que jamais besoin. Il n'était plus seul. Un homme était là avec qui il parlait, riait, dînait, faisait l'amour. Et quel homme ! Quand il voyait le torse d'airain de son amant, ses épaules musclées, ses bras, ses cuisses dignes des statues de Michel-Ange, il ne pouvait croire à sa chance. C'était certainement la dernière de cette sorte.

Il vivait avec John depuis un an quand, un soir, il se sentit extrêmement fatigué. Alors qu'il se levait du canapé pour aller se coucher, il s'effondra dans l'escalier. John eut toutes les peines du monde à le relever et le conduisit aussitôt aux urgences. Crise cardiaque. S'il avait été seul chez lui, il serait mort. La rapidité de l'intervention et l'angioplastie coronaire le sauvèrent.

Quand il quitta l'hôpital, les docteurs lui recommandèrent le repos. Il ne devait pas travailler.

On aurait dit une mauvaise blague.

Ses proches étaient morts d'accident, de vieillesse, d'alcoolisme, de cancer, du sida. Lui, c'était le travail, son allié de tout temps contre la mort, qui l'avait presque tué.

L'avait tué. On ne vainc pas la mort. Il avait perdu le combat. Quelque chose en lui céda. Quand il rentra chez lui après l'intervention chirurgicale, il se sentit différent. Comme détaché. Il n'éprouvait plus le besoin de se battre, de gagner, de convaincre le monde de quoi que ce soit. Peut-être qu'il avait trop *voulu*.

Deux ans plus tôt il avait acheté face à la mer, à Malibu, un cottage des années 30 que Ian avait repéré par hasard, devant une plage où les chiens avaient le droit de courir en liberté. Il avait appartenu à un peintre et comprenait un atelier, le plus petit où David ait jamais peint, mais il s'y sentait bien. Il installa chez lui un tapis de course pour faire les exercices recommandés par les médecins, il marcha sur la plage avec ses chiens tous les jours, il changea de régime et mangea les plats diététiques que lui cuisinait John. Celui-ci assumait soudain une fonction presque paternelle auprès de son amant bien plus âgé que lui. À l'hôpital, quand il s'était réveillé après l'opération, la première chose que David avait faite avait été d'appeler Gregory, qui avait accouru aussitôt. Ils s'étaient réconciliés, et ce dernier recommença à travailler pour lui. La vie était ainsi : elle allait et venait. Dans son atelier de Malibu, David peignit de petits paysages imaginaires inspirés par le mouvement de la mer qu'il voyait par la fenêtre et par la musique de *La femme sans ombre* de Strauss, dont il devait créer les décors avec l'aide de Gregory. Pour la première fois il ne donna pas de titre à ses vingt-quatre tableaux mais les appela *Peintures Très Nouvelles* ou *Peintures T.N.* Étaient-elles abstraites ? Quelle importance ? La distinction entre art abstrait et art figuratif n'existait qu'en Occident.

Alors qu'il rentrait en voiture de Chicago où il était allé assister à la première de *Turandot* avec John, ses deux chiens et ses deux assistants, ils s'arrêtèrent une nuit à Monument Valley et dormirent dans le minivan. David se réveilla très tôt pour photographier le lever du soleil. Il y avait une tempête qui s'annonçait et de gros nuages noirs à l'horizon. Quand l'astre apparut, on aurait cru de l'or sur les sommets rocheux. Un éclair déchira le ciel et un parfait arc-en-ciel s'y dessina. David n'aurait pas été surpris de voir Moïse haranguer la foule du haut de la montagne. L'extrême beauté de ce lever de soleil effaçait la tension des jours précédents, quand le minivan était tombé en panne dans le désert et que les aboiements incessants des teckels étaient devenus insupportables aux assistants de David dans l'habitacle confiné. Elle compensait tout. Les disputes. Même la mort.

Tony Richardson, l'ami chez qui il avait passé autrefois de merveilleux étés dans le sud de la France et des soirées presque familiales à Los Angeles, mourut du sida à Paris, à soixante-quatre ans. Quant à Henry, il l'appela un soir, la voix empreinte de gravité. Ironiquement, ce n'était pas le sida, mais un cancer du pancréas, comme Christopher. Tout alla très vite, en quelques mois. David était là, à la fin, assis près du lit de son ami et le dessinant jusqu'au dernier moment. Henry avait cinquante-neuf ans, deux ans seulement de plus que David, mais il avait l'air d'en avoir quatre-vingt-dix. Ses grosses joues avaient fondu, son visage était hâve. Son esprit, en revanche, était toujours aussi vif. Et sa vanité n'avait pas disparu. « Dessine-moi », dit-il à David d'une voix mourante.

Henry était son meilleur ami depuis qu'il l'avait rencontré chez Andy Warhol en 63, trente et un ans plus tôt. Dès qu'ils débarquaient dans une ville ensemble, ils filaient à l'Opéra. Henry était l'ami qui connaissait chaque personne liée à David et chaque événement de sa vie, qui avait participé à la création de chaque œuvre, à qui il parlait au téléphone tous les jours, et qui avait été là quand son père, quand Byron, quand Joe, Christopher et tous les autres étaient morts ; l'ami qui l'avait toujours conseillé et n'hésitait pas à lui dire ce qu'il pensait, même brutalement. En trois décennies ils n'avaient eu qu'une seule vraie dispute, et après leur réconciliation leur amitié était repartie plus forte que jamais. Ils avaient ri ensemble, à en pleurer, à New York, à Londres, à Los Angeles, en Corse, à Paris, à Berlin, à Lucques, à Martha's Vineyard, à Fire Island, en Alaska... David ne pouvait se rappeler sans glousser le jour lointain où il avait emmené Henry, à Londres, dîner chez une vieille collectionneuse sourde dont la mère, amie proche d'Oscar Wilde, avait recueilli l'écrivain homosexuel à sa sortie de prison en 1897. Ils avaient sonné à la porte, la vieille dame avait ouvert et Henry s'était tourné vers David en disant d'une voix tonitruante : « Je résume : Oscar Wilde était sa mère, c'est ça ? » David s'était tordu de rire sans pouvoir expliquer à la vieille dame la cause de son hilarité. Sans Henry, le monde serait à jamais plus triste.

Il peignit de petits tableaux représentant des fleurs et les visages de ses amis vivants. Une exposition, qu'il intitula « Fleurs, visages, espaces » (qui osait encore peindre et montrer des fleurs ?), ouvrit à Londres dans une nouvelle galerie puisque Kasmin, après le décès de son partenaire, avait mis la clef sous la porte. « Il est en plein déclin ! » s'exclamèrent les critiques d'art.

Le chant de la mort continuait. Ossie fut poignardé dans son appartement par un ancien amant. Jonathan Silver, son concitoyen de Bradford et proche ami qui avait repris le rituel des conversations téléphoniques quotidiennes autrefois échangées avec Henry, apprit qu'il était atteint d'un cancer du pancréas et n'avait que quelques mois à vivre. La même maladie qui avait tué Christopher et Henry, comme une malédiction : Jonathan n'avait que quarante-huit ans.

La série noire avait commencé en 79 avec son père. Puis Byron en 82, et Joe en 83. Après 86, ça ne s'était plus arrêté. Un, deux, trois, quatre amis par an. À Paris, Londres, New York, Los Angeles. Aucune ville, aucun continent épargné. La mort partout, comme au Moyen Âge, à l'époque de la Grande Peste.

Peut-être que la mort était surévaluée.

Juste avant d'aller au Mexique en 84, David avait lu un livre qui décrivait les pratiques rituelles des Aztèques : Montezuma entrant dans un temple et arrachant les cœurs de cinq ou six personnes avant de ressortir, couvert de sang, et de poursuivre sa conversation avec l'ambassadeur espagnol, l'homme qu'il prenait pour un dieu et qui détruirait sa civilisation. L'Espagnol, horrifié par une telle pratique, pensait que l'Aztèque était un barbare, tout comme le lecteur occidental qui lisait le livre. Mais au temple vingt-cinq mille personnes faisaient la queue pour avoir l'honneur de se faire arracher le cœur. Pour ces gens, la mort n'existait pas.

Peut-être que la mort n'était pas une tragédie, qu'il n'y avait pas lieu de la craindre. Elle faisait partie de la vie. Il était inutile de la combattre. Il fallait l'embrasser. Et créer des œuvres qui mettaient de la joie dans le cœur des gens. Ce que pensaient les critiques n'avait aucune importance. L'Histoire ne retiendrait les noms que de quelques rares artistes. Rembrandt, Vermeer, Goya, Monet, Van Gogh, Picasso, Matisse avaient tous donné du monde une vision enchanteresse. L'art, comme la religion, ne devait exclure personne. Il devait être universel.

À Malibu, David peignait. John, son amant cuisinier, venait de le quitter après une dispute. Il avait vingt-neuf ans de moins que lui : c'était dans l'ordre des choses. David n'était pas seul puisqu'il avait ses chiens, les plus affectueux et les plus dépendants des amis. Le mouvement constant du Pacifique emplissait ses fenêtres. Quand il ouvrait la porte de la cuisine, les vagues éclataient à ses pieds. L'océan allait et venait de cette manière depuis des millions d'années. Ses teckels regardaient la mer, comme lui. Ils ne s'intéressaient pas à la télévision, où ils ne voyaient sans doute que des points lumineux et des formes plates sur un écran, tandis que le battement régulier des flots les hypnotisait. David peignit le mouvement de l'océan. Et il peignit ses chiens.

V

LA FLORAISON DES AUBÉPINES

Mais qu'était-il allé faire dans cette galère ?

« Dire qu'il n'y avait pas de grand artiste avant les instruments optiques, ça revient à dire qu'il n'y avait pas de grands amants avant le Viagra ! »

Susan Sontag parlait d'une voix si retentissante que David n'eut pas de mal à l'entendre malgré son handicap. L'auditorium explosa de rire. Il y eut même quelqu'un pour siffler au fond de la salle ; Larry brandit la béquille posée contre sa chaise. Sa sciatique se révélait utile.

« Du calme, s'il vous plaît ! On est à un colloque universitaire, pas au cirque !

— Parce que David Hockney ne dessine pas aussi bien que les anciens maîtres, reprit Sontag d'une voix posée, il en conclut qu'ils ont utilisé des instruments optiques. Il a élaboré une théorie à partir de son expérience personnelle. C'est un procédé très américain. Il est vraiment devenu l'un d'entre nous ! »

David sourit. Quand la célèbre intellectuelle américaine s'arrêta, le public applaudit pendant de longues minutes. Larry présenta ensuite Linda Nochlin, un professeur aux cheveux blancs auteur de nombreux livres importants. Au milieu de sa conférence elle se leva pour attraper sur une chaise un vêtement recouvert d'un plastique transparent qu'elle ôta. Le public intrigué suivait ses mouvements. Elle suspendit au mur une robe blanche, courte, avec de grands motifs rectangulaires bleus aux angles arrondis, qui avait l'air de sortir tout droit des années 6o.

« C'est ma robe de mariage. Je me suis mariée en 68. »

La foule d'étudiants, de professeurs, d'historiens de l'art, de journalistes, d'artistes et de mondains qui avait fait la queue de bon matin sur Cooper Square pour s'assurer un des quatre cents sièges convoités attendait, ravie, prête à rire.

« David, lança Linda Nochlin en le regardant, vous dites que c'est à nous de fournir des preuves. Voici. »

Elle retira d'un geste dramatique le drap qui recouvrait un grand tableau posé contre le mur : on y voyait, près d'un homme, une jeune femme portant la robe à motifs géométriques, strictement identique au vêtement réel et peinte à la même échelle. Il comprit instantanément où elle voulait en venir : montrer que l'on pouvait reproduire exactement le motif d'un vêtement sans utiliser d'instrument optique. Ce qui ne prouvait rien.

« C'est mon portrait de mariage par Philip Pearlstein. Philip ? »

Le peintre américain la rejoignit sur l'estrade.

« Philip, as-tu utilisé un instrument optique ou tes propres yeux ?

— Mes yeux. »

Nochlin se tourna vers David :

« Vous voyez ? Certains en sont capables. »

On l'applaudit encore plus frénétiquement que Susan Sontag. Un cri s'éleva :

« Les anciens maîtres ne sont pas des tricheurs, Hockney ! »

Larry dut à nouveau secouer sa béquille et menacer de chasser le perturbateur de la salle.

David secoua la tête. Il n'avait jamais accusé les anciens maîtres de tricher. L'instrument d'optique n'était qu'un simple outil ; il ne faisait pas le tableau. Mais trois ans plus tôt, à une exposition de dessins d'Ingres à Londres, il avait été fasciné par leur extrême précision et la fermeté de leur trait. Il avait acheté le catalogue et, de retour à L.A., agrandi les reproductions sur sa photocopieuse pour les examiner attentivement. Un des portraits lui avait rappelé le dessin d'un batteur à œufs fait par Warhol, pour lequel ce dernier avait utilisé un projecteur de diapositives. David avait alors été certain qu'Ingres aussi avait employé un instrument optique : la *camera oscura*, inventée en 1807. Au bout de plusieurs années de recherches qui avaient abouti à un immense mur de reproductions de portraits affichées dans son atelier, il avait été convaincu que les peintres européens avaient recours aux instruments optiques depuis des siècles. Il était

169

même parvenu à dater précisément le début de leur usage : en 1434, dans un tableau de Van Eyck, *Les époux Arnolfini.* La lentille n'existait pas encore à cette époque, mais un professeur de physique de l'université de Tucson, en Arizona, qui était spécialiste d'optique, lui avait appris qu'un miroir concave pouvait jouer le même rôle.

Cette recherche l'avait passionné, car elle révélait la continuité entre le XVe et le XXe siècle : la lentille était l'ancêtre de l'appareil photo. Jusqu'au cubisme, la même perspective à point de vue unique avait régné sur l'art européen. Ses théories, publiées en octobre dans un livre qu'il avait coécrit avec le professeur de Tucson, *Savoir secret : à la redécouverte des techniques perdues des anciens maîtres,* avaient soulevé une tempête sur les deux continents. Rien, s'écriaient les historiens de l'art, n'attestait la présence d'instruments optiques dans l'atelier des maîtres anciens. Ils accusaient David de vouloir réduire le mérite des grands peintres européens. Seuls quelques rares artistes et chercheurs avaient pris sa défense. Le colloque avait été organisé pour faire le point. La balance penchait nettement d'un côté et David avait l'impression d'assister à son propre procès. La majorité des spécialistes l'attaquaient comme un collège de cardinaux qui devaient décider s'il fallait condamner l'hérétique au bûcher.

Un procès, vraiment. Quel tabou avait-il touché pour que les historiens de l'art se dressent comme un seul homme contre lui ? De quoi avaient-ils peur ? Leur désir de maintenir l'art dans un monde idéal avait quelque chose de fascinant. David se sentait un peu comme Robin des Bois dans sa tentative de rendre l'art aux gens. En tout cas, il était rassurant de voir que ces questions suscitaient une telle passion à New York en décembre 2001, à trente minutes à pied du site des tours jumelles, trois mois après l'événement qui avait changé la face du monde. Mais que faisait-il enfermé dans cet auditorium quand il n'y avait qu'une urgence, peindre ? Il avait lancé la polémique, certes. Il constatait maintenant qu'il s'en fichait.

L'avant-dernière oratrice se leva. Rosalind Kraus, professeur à Columbia, éditrice d'*October* et diva de la critique d'art contemporain, réputée pour sa férocité, projeta sur un écran des détails agrandis du portrait d'Ingres et du dessin de Warhol sur lesquels se basait l'intuition de David. Elle démontra que le trait de Warhol, inerte et de largeur égale – le résultat de la technologie –, n'avait rien à voir avec celui d'Ingres, qui gonflait et rétrécissait. Un argument intelligent. Le public l'applaudit longuement.

C'était au tour de David. Le bouquet final. Il se dirigea vers le pupitre. Il portait un tee-shirt où les mots « Je sais que j'ai raison » étaient imprimés en larges caractères. Il y eut quelques ricanements puis la salle se tut tandis qu'il rajustait ses lunettes. On aurait pu entendre voler une mouche. Personne ne voulait perdre un mot de ce que le célèbre peintre allait dire pour sa défense après une telle démonstration de son ignorance.

« J'ai appris beaucoup de choses, commença-t-il avec sa lente élocution tout en regardant le public par-dessus ses lunettes, et je remercie tous les participants. Ces peintures sont admirables. La vérité, c'est qu'on ne saura jamais comment elles ont été faites. »

Il fit une pause. Tous étaient suspendus à ses lèvres.

« Maintenant je suis fatigué, et j'ai envie de retourner peindre. »

Il descendit de l'estrade devant l'assistance médusée : il s'avouait vaincu, soit, mais ce dénouement manquait de panache !

Il ne s'avouait pas vaincu. Sa conviction n'était pas ébranlée. Le soleil était au centre de l'Univers, et cela avait fini par se savoir sans que Galilée meure sur un bûcher.

Il était véritablement épuisé. Cette affaire lui avait pris trois ans de sa vie, trois années où il n'avait peint qu'une série de portraits en utilisant une *camera oscura*, sur le modèle de ceux d'Ingres, afin d'illustrer sa théorie. Trois ans plus tôt sa mère s'était éteinte, à quatre-vingt-dix-huit ans, entourée de quatre de ses cinq enfants. L'automne suivant sa mort, à l'approche du premier Noël ou presque qu'il allait passer sans elle en soixante-deux ans, David s'était senti extrêmement déprimé. Gregory l'avait sorti d'une addiction dangereuse à l'alcool et aux médicaments en l'envoyant se ressourcer aux bains FKK de Baden-Baden. Au retour d'Allemagne il avait dîné un soir avec John, à Londres où ils étaient tous deux de passage. À trente-trois ans, John avait mûri tout en restant le même, vif, drôle, sensuel et chaleureux, et le miracle que David n'aurait jamais cru possible avait eu lieu : ils étaient retombés amoureux. John s'était réinstallé avec lui à Los Angeles, était redevenu son compagnon et son cuisinier.

Quelques mois plus tard, John s'était demandé si David n'était pas malade : il était très fatigué et s'endormait souvent au milieu du dîner, chez lui ou chez les autres. Ils avaient attendu avec angoisse les résultats du bilan médical : un cancer, comme Christopher, Henry et Jonathan ? Non, une simple pancréatite aiguë, maladie sans danger mortel, qui lui interdisait dorénavant l'alcool et la caféine. Puis Stanley, son teckel bien-aimé, son premier chien, était mort à l'âge de quatorze ans ; John et lui avaient ensuite accompagné pendant des mois, dans sa lente agonie, un de leurs amis proches de L.A. qui avait le sida. David savait ce qui avait véritablement motivé son enquête : en réveillant son vieil esprit combatif, elle lui avait donné l'énergie dont il avait besoin pour traverser le deuil de sa mère, de Stanley et de son ami. Maintenant il était temps de se remettre à peindre. Il avait soixante-quatre ans. Où était sa grande œuvre ?

Six ans plus tôt, en 95, le Premier ministre John Major avait emprunté à la Tate un de ses tableaux pour le suspendre au 10 Downing Street. Un honneur. Mais il s'agissait de *Mes parents*, peint en 75, comme si David n'avait rien fait d'aussi bien au cours des vingt années suivantes.

Plus il avançait en âge, moins il savait ce qui était à l'origine de l'inspiration.

La dernière fois qu'il avait vraiment été inspiré (et cela, tout à fait par hasard), c'était quatre ans plus tôt, en 97, quand il avait passé tout l'été à peindre l'est du Yorkshire pour son ami Jonathan qui se mourait et qui avait demandé à David, comme ultime faveur, de faire un tableau célébrant leur région de collines et de champs cultivés, à la beauté modeste, ignorée par les peintres. David logeait chez sa vieille mère à Bridlington et rendait visite presque tous les jours à son ami alité qui habitait à une heure et demie de là. Il traversait les paysages de sa jeunesse, les villages de Fridaythorpe ou de Sledmere, les champs et les fermes où il avait travaillé à l'adolescence – des lieux auxquels il se sentait lié. Il avait appliqué sa technique du changement de focus à ses peintures du Yorkshire, aux couleurs vives et à l'allure naïve, qui ne représentaient pas simplement des paysages mais son trajet de chez lui à chez Jonathan. De retour à Los Angeles après la mort de Jonathan, il avait continué à peindre le Yorkshire de mémoire avant de réaliser un immense tableau du Grand Canyon composé de soixante petites toiles, un tableau qui mesurait près de deux mètres sur sept, son plus grand format jusque-là. C'était sa dernière période de créativité intense. Ensuite il y avait juste eu les portraits faits avec la *camera oscura*.

Après le colloque de New York, il n'eut pas envie de rester à Los Angeles où venait de mourir son ami. Dans cet état d'indétermination, il décida de se rendre à Londres et d'accepter la requête de Lucian Freud, qui voulait faire son portrait depuis plusieurs années. Freud avait besoin d'une centaine d'heures de pose et David n'en avait jamais trouvé le temps. Cela lui permettrait de découvrir la méthode d'un grand artiste et de réfléchir à la suite.

Il passa deux mois à observer : la façon de peindre de Freud, si différente de la sienne, si lente, apparemment désordonnée comme son atelier, mais en réalité méticuleuse et profonde ; et Holland Park, qu'il traversait deux fois par jour entre Pembroke Gardens et la maison de Freud sur Kensington Church Street. De la fin mars à la fin avril il vit éclore le printemps, qu'il avait oublié après plusieurs décennies en Californie.

Il entrait dans le parc par Ilchester Place, en sortait au niveau de Duchess of Bedford Walk. Chaque jour la même marche et chaque jour différente. Il n'avait jamais remarqué autant de variétés d'arbres, de buissons, de feuilles et de fleurs. Les couleurs étaient peut-être plus vives en Californie, mais plus plates aussi ; en Angleterre, la brume créait toute une gamme de verts et diversifiait à l'infini la palette. Certains arbres étaient déjà couverts de fleurs blanches ou rose pâle, tels les cerisiers, les pommiers et les magnolias ; d'autres bourgeonnaient à peine et la myriade de toutes petites feuilles éclosant de jour en jour formait un délicat voile de dentelle ; chez d'autres encore, comme les marronniers, les érables et les hêtres, des feuilles vert clair à foison faisaient ployer les branches vers la terre ; certains enfin, tels le frêne ou le saule pleureur aux branches entremêlées, prenaient leur temps, comme Lucian Freud, peu pressés de sortir de l'hiver. Les lilas, les rosiers, les buissons de thym, de sauge et de laurier embaumaient l'air.

David ne s'attendait pas à passer des mois aussi délicieux alors qu'il sortait à peine du 11-Septembre, de la mort d'un ami, de la violence et de la sinistrose du monde. Dès huit heures du matin, par tous les temps, le parc regorgeait de vie : les écoliers en uniforme couraient et jouaient avec des balles multicolores, les chiens bondissaient librement, les bourgeons s'ouvraient et les arbres verdissaient, aussi vivants que les enfants et les chiens dont il n'entendait pas les cris ni les aboiements. Sans doute fallait-il être sourd, et ne percevoir l'environnement que par le regard, pour en capter chaque détail avec une telle acuité. Il n'avait jamais été aussi détendu. Comment un humble parc anglais pouvait-il lui procurer une exaltation plus grande que les vues sublimes du Grand Canyon et du désert ? Il fut presque déçu quand Freud lui annonça que le portrait était fini. Un excellent portrait, d'ailleurs.

Est-ce cet état de béatitude qui le conduisit à l'aquarelle, cette spécialité des peintres du dimanche qu'il avait toujours soigneusement évitée ?

Il devenait gâteux.

Cela se produisit début mai, à New York où le printemps était plus tardif : alors qu'il regardait par la fenêtre de sa chambre d'hôtel les arbres bourgeonnants, plus verts de jour en jour, il eut soudain envie de les peindre – à l'aquarelle. De retour à Londres, il continua, avec la vue de son jardin à Pembroke Studios puis, naturellement, avec Holland Park. Maîtriser la technique lui prit six mois. L'aquarelle obligeait à travailler vite et à anticiper les cinq gestes suivants, comme lorsqu'on jouait aux échecs, car on ne pouvait rien modifier. Au-delà de trois couches, les couleurs perdaient de leur vivacité. Cela revenait à peindre et à dessiner en même temps. Du paysage, il passa au portrait. Il réalisa une série de trente grands doubles portraits, à toute allure, presque un par jour, en faisant poser les modèles sur les mêmes chaises de bureau, contre le même fond vert clair. Quand ces toiles furent exposées à la National Portrait Gallery, les critiques les jugèrent inégales, maladroites et caricaturales. Mais il sentait qu'en le forçant à peindre vite, en permettant à un flux ininterrompu de s'écouler de sa main, l'aquarelle avait libéré quelque chose en lui. Un processus s'était mis en branle qui le conduirait quelque part, même s'il ne savait pas encore où, comme vingt ans plus tôt quand il avait commencé les photomontages. Il fallait seulement se rendre disponible. Pour cela il devait retourner à Los Angeles, son lieu de travail et d'inspiration depuis des décennies. En février 2003 il s'envola pour la Californie avec John et poursuivit les aquarelles dans l'atelier de Montcalm Avenue. Il attendait.

C'était sans compter avec le hasard. En mai John partit à Londres une semaine pour régler quelques affaires ; au retour il fut arrêté à la douane, interrogé, détenu et expulsé vers l'Angleterre. Il avait autrefois dépassé d'un jour ou deux la date d'expiration de son visa : après le 11-Septembre, les lois sur l'immigration étaient devenues beaucoup plus strictes. David crut que ce ridicule incident ne représenterait qu'une perte de temps et d'argent. Il appela des avocats, des amis collectionneurs qui avaient des contacts dans l'administration Bush, des personnes haut placées dans son pays natal. Il était l'un des peintres anglais vivants les plus connus, mais les fonctionnaires américains ne faisaient pas d'exception. Même si l'on prouvait que John ne représentait en rien une menace terroriste, il ne serait pas autorisé à retourner aux États-Unis – chez lui. David prit soudain conscience d'une réalité qui lui était étrangère : celle de tous les immigrants arrêtés quotidiennement et expulsés *manu militari* d'une heure à l'autre alors qu'ils avaient des enfants américains, une maison, un travail. Si on expulsait son amant, on l'expulsait aussi, car il ne pouvait pas vivre sans John.

C'était le pays qu'il avait choisi. Le pays de la liberté. Où était la Californie de sa jeunesse ? Après le Patriot Act, le Clean Indoor Air Act qui interdisait de fumer dans les lieux publics venait d'être signé, réduisant encore un peu plus la liberté individuelle. Pour votre bien, disaient ces terroristes de la santé qui avaient remplacé le tabac par les antidépresseurs et qui se pinçaient le nez dès qu'ils voyaient une cigarette, même éteinte, dans la main du vieil homme indigne. Picasso fumait et il était mort à quatre-vingt-onze ans ; Matisse fumait et il était mort à quatre-vingt-quatre ans ; Monet fumait et il était mort à quatre-vingt-six ans ; le père de David, antifumeur militant, était mort à soixante-quinze ans. Alors ?

Il rentra en Angleterre.

Le Patriot Act l'avait chassé du lieu qui avait été sa source d'inspiration depuis plus de trois décennies. Il ne pouvait même pas décider de l'endroit où il vivait. Un peintre, en ce monde, n'était rien – juste un navire sans gouvernail ballotté par les flots.

Il s'installa pour l'été dans le Yorkshire, à Bridlington, dans la maison en briques toute proche de la plage qu'il avait achetée pour sa mère, afin d'être près de sa sœur, Margaret, dont le compagnon était très malade. Après la mort de ce dernier, il resta pour lui tenir compagnie. Chaque jour le frère et la sœur faisaient de longues promenades en voiture à travers la campagne et David se sentait particulièrement attiré par les Wolds, les collines de craie ondulantes du Yorkshire qu'il avait connues enfant. Ils croisaient très peu de gens, juste quelques agriculteurs, pas de touristes, et Bridlington était suffisamment éloignée de Londres pour qu'on ne vienne pas le déranger. John, encore plus épris depuis que David avait quitté les États-Unis pour lui, le rejoignit, ainsi que le jeune accordéoniste français que David venait d'embaucher comme assistant sur la recommandation d'Ann et de son mari. Jean-Pierre, qu'on appelait J.P., était sûrement le seul Parisien de Bridlington. Il servait de chauffeur à David qui parcourait ainsi la campagne en voiture, s'arrêtant ici et là pour faire quelques croquis dans un carnet japonais qui se déroulait en concertina. Il aimait de plus en plus ce paysage vallonné qu'aucun pylône électrique, aucun panneau publicitaire ne venait souiller, et qu'ils traversaient souvent sans croiser une voiture. En une heure et demie il pouvait remplir un calepin entier avec des dessins de brins d'herbe. En dessinant l'herbe, il apprenait à la voir – ce qu'il n'aurait jamais pu faire avec la photographie, car il fallait du temps pour regarder et prendre ainsi conscience de l'espace. Contrairement aux paysages du Yorkshire peints pour Jonathan, ses aquarelles ne représentaient pas des vues panoramiques ni des trajets à travers la campagne mais les champs cultivés le long de la route et les couleurs changeantes des saisons.

De passage à Los Angeles au printemps 2005,

il eut soudain envie de faire des portraits à l'huile. Après des années d'aquarelle, cette technique lui sembla si riche et si facile ! Pourquoi s'en être privé ? De retour à Bridlington, il se remit à peindre des paysages, mais à l'huile. Il n'y avait pas moyen de se tromper sur l'énergie et la joie qui l'animaient. Depuis ses promenades dans Holland Park en avril 2002, depuis qu'il avait été touché par la grâce – car c'était bien cela dont il s'agissait : de grâce, religieuse, spirituelle –, le sujet ne cessait de se préciser. Il *brûlait*, comme on dit dans ce jeu où un enfant aux yeux bandés s'approche du but. Des champs cultivés il passa aux arbres. Un chemin bordé d'arbres, dont les branchages se rejoignaient en formant une voûte naturelle, lui plaisait particulièrement et il le peignit à chaque saison, en enregistrant chaque variation de lumière et de couleur. Rien n'était plus beau que les saisons. Elles étaient l'essence même du changement. La vie.

Il peignait en plein air, sur le motif, comme les peintres de l'école de Barbizon au XIXe siècle. L'hiver, J.P. et lui devaient porter plusieurs couches de vêtements épais qui leur donnaient l'air de bonshommes Michelin. L'été, la lumière était la plus belle de six heures à neuf heures du matin : ils se levaient tôt. Quand il se mettait à pleuvoir J.P. ouvrait un grand parapluie, et le tableau portait parfois la trace des gouttes. David acheta un pick-up Toyota, d'un modèle utilisé par les militaires en Afghanistan, qui leur permit d'emprunter n'importe quel chemin par n'importe quel temps ; ils l'équipèrent de larges étagères à l'arrière afin d'y glisser les toiles quand elles n'étaient pas sèches. Ces problèmes matériels à résoudre l'amusaient en lui rappelant les camps scouts de son enfance. Mais surtout, plus il peignait et mieux il voyait. Et mieux il voyait, avec plus de précision et d'intensité, plus il avait envie de peindre.

Il avait souvent constaté que le déplacement d'un continent à l'autre, en changeant son point de vue, apportait de nouvelles idées. À Los Angeles où il s'était rendu pour une rétrospective de ses portraits au LACMA en juillet 2006, il colla les reproductions de ses paysages sur le grand mur de son atelier : chaque peinture était faite de six toiles juxtaposées, et il en avait mis neuf côte à côte. Alors qu'il les regardait de loin, il s'avisa qu'elles semblaient former un seul immense tableau de cinquante-quatre toiles, et il se demanda si un tel tableau était réalisable. Un tableau qui mesurerait plus de quatre mètres sur douze. Gigantesque, il atteindrait presque deux fois la taille de son œuvre la plus grande, *Un plus grand Grand Canyon*. L'œil humain ne pouvait pas concevoir une œuvre si volumineuse ; mais l'ordinateur, oui. Sa sœur, douée pour l'informatique, lui avait montré un an plus tôt comment scanner ses aquarelles pour les envoyer par e-mail à ses amis de Londres et de Los Angeles. Le scanner apportait la solution au problème : David pourrait faire un dessin à la main, le diviser en rectangles de taille égale et le scanner afin de créer un puzzle sur l'écran. Il pourrait alors peindre les parties une à une, sans avoir besoin de monter sur une échelle, et en visualisant le tout.

Il était euphorique quand il rentra à Bridlington. Il fallait d'abord trouver le bon endroit. Il le chercha en roulant lentement avec J.P. à travers la campagne. À la lisière d'un village qui s'appelait Warter, il vit un bosquet d'arbres autour d'un très vieux, très gros érable sycomore, qui semblait être leur patriarche. Les branches de tous ces arbres se divisaient en mille ramifications qui s'entrelaçaient délicatement sans se toucher et montaient vers le ciel. Ces lignes complexes qui ressemblaient à des vaisseaux sanguins ou à des cerveaux partaient dans toutes les directions et ne suivaient pas les lois de la perspective.

Il avait trouvé. Il allait peindre un arbre, tout simplement. Presque aussi grand que nature. Ce serait le cœur du tableau – au lieu de la route, comme dans ses toiles représentant des trajets. L'arbre était un héros. Il servait humblement l'homme en captant l'oxygène, en le chauffant de son bois, en lui donnant de l'ombre. Il incarnait le cycle de la vie en se couvrant tour à tour de bourgeons, de feuilles, de fleurs, de fruits, de neige. Aucun arbre n'était identique à un autre. À force de les observer, David se sentait proche des arbres, comme s'ils étaient ses amis. Leurs branches tordues et leurs troncs noueux lui rappelaient les mains arthritiques de sa mère qui, à la fin de sa vie, n'arrivait plus à appuyer sur un interrupteur. Les arbres étaient semblables à sa mère : patients, sereins, enracinés, dévoués. Ils avaient une présence discrète, mystérieuse et majestueuse.

Il appela la conservatrice en chef de l'art contemporain à la Royal Academy et lui demanda de lui réserver le grand mur du fond de la galerie III pour l'exposition d'été. La plupart des cent académiciens souhaitaient y suspendre leurs œuvres. La conservatrice devrait persuader le comité de l'exposition et le conseil de la Royal Academy. Il fallait la convaincre.

« Je vais créer le plus grand tableau jamais peint en plein air, Edith, et le plus grand jamais exposé en deux cent trente-neuf ans d'expositions d'été à la Royal Academy. »

Son exaltation ne venait pas des records qu'il allait battre mais de la conscience qu'il allait enfin peindre sa grande œuvre. Pas seulement par la taille, mais aussi par le sujet et la puissance. Ce serait le plus grand tableau de sa carrière : la peinture à laquelle menait tout le reste.

Il devait se dépêcher car il ne restait que quelques semaines d'hiver, et l'hiver il n'y avait que six heures de lumière par jour. Il voulait peindre son arbre en cette saison – quand les branches, dépouillées des feuilles qui pesaient sur elles et les entraînaient vers la terre où nous finissons tous, étaient vivantes. Elles s'élevaient vers le ciel, légères et libres, et semblaient converser avec lui. Rien n'était plus élégant et plus digne qu'un arbre en hiver.

David voulait qu'en entrant dans la salle les gens éprouvent un sentiment de vénération religieuse comme dans une cathédrale. La peinture devait englober le spectateur, afin qu'il se sente intuitivement en empathie avec l'œuvre. Voilà pourquoi elle devait être aussi grande. Sa taille rappellerait à l'homme sa petitesse devant l'immensité. Il souhaitait reproduire l'espace, bien plus mystérieux que la surface que montrait la photo.

Il y avait tant de travail qu'il dut faire venir son ancien assistant de Los Angeles. Sur place il embaucha aussi un garçon de dix-huit ans que John avait rencontré à un barbecue et qui promenait parfois leurs chiens pour se faire un peu d'argent de poche. Puis il loua un hangar de plus de mille mètres carrés dans la banlieue industrielle de Bridlington, afin de pouvoir voir son tableau en entier.

La vie était un puzzle où, contrairement à ce qu'il avait pu croire, rien n'était laissé au hasard. Il commençait seulement à comprendre comment s'assemblaient les morceaux. Dans le grand livre de la nature, il était écrit qu'il retournerait au pays de ses ancêtres et de son enfance après des décennies en Californie afin d'y peindre un arbre qui serait sa grande œuvre. Un enchaînement de circonstances aussi rigoureux qu'un axiome mathématique y menait : les nouvelles lois de sécurité américaine très strictes qui avaient renvoyé John en Angleterre, son amour pour John qui avait provoqué son propre retour, sa surdité qui aiguisait sa vue, la mort de sa mère, le don de sa sœur pour l'informatique, le détour par l'aquarelle qui l'avait rapproché de la nature, les mois où il avait posé pour Lucian Freud en observant sa lenteur et son œil précis, la traversée quotidienne de Holland Park dont la transformation printanière l'avait émerveillé.

Le tableau exposé à la Royal Academy fut aussi impressionnant qu'il l'avait désiré, et la conservatrice du musée lui proposa d'organiser une grande exposition de paysages en 2012, l'année des jeux Olympiques à Londres. Il avait cinq ans pour la préparer.

Il y avait tant à voir, tant de variations de formes et de couleurs à enregistrer qu'il savait à peine par où commencer. Des gouttes de pluie tombant dans une flaque suffisaient à le fasciner. Au printemps, la floraison des aubépines le bouleversa. Elle ne durait que deux semaines, pendant lesquelles il put à peine dormir : comment rater une miette d'un tel chef-d'œuvre ? La lumière la plus belle était entre cinq et six heures du matin : il fallait partir avant l'aube. David et J.P. se levaient à cinq heures, comme Monet à Giverny. D'un jour à l'autre, le vert vif se transformait en blanc, magiquement, et peu à peu le blanc recouvrait entièrement le vert, un blanc composé de milliers de délicates fleurs à la délicieuse odeur de miel. C'était une explosion de pétales d'un blanc si crémeux qu'on aurait dit des éclairs à la crème, et c'est ainsi qu'il les peignit, comme une chose voluptueuse qu'on aurait pu consommer – la nature se transformant en gigantesque festin et comblant tous les sens. Au Japon, des milliers de gens prenaient la route pour voir les cerisiers en fleur ; de la floraison des aubépines dans le Yorkshire, il était avec J.P. l'unique spectateur ! Il passa deux semaines à peindre sans s'arrêter et dut s'aliter ensuite, car il était tombé malade sans même s'en rendre compte et avait contracté une forte fièvre. Au printemps suivant, il alla plus loin : les buissons d'aubépine prirent une forme fantastique et presque anthropomorphe, se penchant sur la route comme s'ils allaient dévorer le promeneur.

Il avait soixante-dix ans, bientôt soixante et onze, et se sentait plus vivant que jamais. « Si l'on nettoyait les portes de la perception, l'Univers apparaîtrait à l'homme tel qu'il est : infini », écrivait le poète William Blake. La vieillesse était l'âge du grand nettoyage, l'âge auquel on avait pour désir d'arracher à l'oubli la beauté, qu'on ne voyait jamais mieux que lorsqu'on en avait fini avec le désir sexuel et l'ambition sociale. Les Chinois disaient que la peinture était l'art des hommes âgés, parce que leur expérience – de la peinture, de l'observation, de la vie – s'était accumulée tout au long de leur existence et rejaillissait dans leur œuvre. David avait enfin découvert l'infinité de l'Univers : pas dans le désert, pas dans la vue panoramique depuis le côté nord du Grand Canyon ou du haut de la colline de Garrowby, mais dans les branches nues des arbres, dans le brin d'herbe, dans la floraison des aubépines. Il ne cherchait plus à dominer la nature du regard : il avait appris à la regarder d'en bas, humblement, et à se fondre en elle en oubliant son ego, comme avalé par les buissons d'aubépine. Pour la première fois, ce n'était pas le travail qui lui permettait de s'oublier lui-même, mais la contemplation de la nature.

Un tableau de Claude le Lorrain, *Sermon sur la montagne,* aux teintes assombries car il avait été abîmé par un incendie, avait arrêté son regard à la Frick Collection à New York : on y voyait Jésus, entouré de ses disciples en haut d'un rocher, s'adresser aux bergers dans la plaine, et le point de vue n'était pas celui de Jésus mais du berger et de sa femme placés au premier plan, qui contemplaient d'en bas à la fois le mont au milieu de la toile, le tout petit Christ et le ciel immense. L'œuvre accomplissait cette chose extraordinaire : elle attirait le regard vers le haut et suspendait le sujet dans le ciel. David y reconnut son nouveau point de vue. Il en peignit dix versions de suite, avec des couleurs de plus en plus vives et même psychédéliques. À nouveau il s'emparait d'un sujet ancien, le renouvelait, le faisait exploser de couleurs et de vie. Qui peignait aujourd'hui des scènes religieuses ?

C'était la même frénésie qui pousse à se droguer sans pouvoir s'arrêter, sauf qu'il s'agissait d'une frénésie créatrice et qu'elle durait depuis

des années sans donner de signe de ralentisse-
ment. Margaret l'avait initié à l'iPhone : l'appli-
cation Brushes, qui permettait de dessiner sur
un écran avec le pouce, lui procurait le même
plaisir qu'à un enfant qui trempe ses doigts dans
la peinture. L'iPhone offrait un incomparable
avantage tôt le matin, quand il faisait encore trop
sombre pour dessiner sans allumer la lumière,
qui aurait détruit les subtiles nuances de ton du
soleil levant. Il esquissait chaque matin des levers
de soleil qu'il envoyait à ses amis de Londres,
de New York ou de Los Angeles. Il était certain
que Van Gogh aurait griffonné sur son iPhone,
s'il en avait eu un, les petits dessins qui émail-
laient ses lettres à Théo, et que Rembrandt aussi
aurait utilisé la technologie s'il y avait eu accès.
Quand Steve Jobs annonça la création de l'iPad
un an plus tard, David en acheta un immédiatement. L'écran était quatre fois plus grand : il
ne dessinait plus juste avec le pouce mais avec
tous les doigts ou avec un stylet. L'appareil lui
permettait de représenter sur-le-champ tout ce
qui captait son regard, un cendrier en verre rempli de mégots, une lampe et son reflet dans la
fenêtre, le robinet d'un lavabo, sa casquette sur
une table, son pied à côté de sa chaussure alors
qu'il se levait, un bouquet de fleurs. Il fit coudre
de grandes poches intérieures dans toutes ses
vestes afin de pouvoir transporter partout sa
tablette, par tous les temps.

Grâce à de petites caméras haute définition
que J.P. fixa sur les côtés de la Toyota, il filma

les transformations de la nature avec neuf points de vue le long d'une même route, et réalisa une œuvre composée d'une multiplicité hypnotique d'écrans qu'il intitula *Les quatre saisons*. Il pouvait aussi se passer de la technologie. Il continua à peindre les arbres et habilla de violet, comme un cardinal, une large souche qui ressemblait à un totem, pour laquelle il s'était pris d'affection. Il para de couleurs vives la beauté des arbres abattus, transformés en rondins entassés le long de la route, dont la tranche orangée ressemblait à une chair palpitante. Il fit un immense tableau de trente-deux toiles représentant, sous une forme stylisée, l'arrivée du printemps, cette saison où chaque plante, chaque bourgeon et chaque fleur semblait se dresser, où la nature entière était en érection. Le critique américain Clement Greenberg avait dit qu'on ne pouvait plus, de nos jours, peindre un paysage ? Il allait remettre sur la carte de l'art un genre tombé en désuétude depuis Constable et Turner.

Le bonheur ne provenait pas du succès, ni de la satisfaction d'y arriver envers et contre tout, ni des honneurs – peu avant son soixante-quinzième anniversaire, la reine lui décerna l'ordre du mérite qui n'avait été octroyé qu'à vingt-quatre personnes dans toute l'Angleterre, et qu'il accepta même s'il se souciait peu des médailles, parce qu'il n'aurait pu refuser sans offenser la reine et qu'il était poli –, ni de l'argent : ses tableaux se vendaient maintenant à des prix fous et David était devenu très riche, mais la fortune ne servait qu'à fournir un certain confort et ne procurait pas l'essentiel, qui était le désir de peindre. Le bonheur provenait du travail, bien sûr, et de la conscience que l'infini se trouvait dans l'œil du spectateur. Mais surtout, il provenait de l'amitié.

Il y avait le cercle des fidèles qui travaillaient pour lui à Los Angeles et à Londres : Gregory, Graves et quelques autres, en qui il avait une confiance absolue. Il y avait le cercle familial : le frère et la sœur qui vivaient toujours dans le Yorkshire et dont il était resté proche par-delà les années – Margaret qui habitait près de chez lui et qu'il voyait presque tous les jours, et Paul qui avait pris sa retraite à une heure de là. Et sur place, à Bridlington, il y avait le cercle intime, qui avait enfin chassé le spectre de la solitude. Son équipe. Un nombre restreint d'amis proches qui partageaient sa vie quotidienne dans la maison de briques à trois minutes de la mer, qui se souciaient de lui, qui ne le quitteraient pas.

John achetait chaque jour des fleurs qu'il arrangeait avec art dans les différentes pièces de la maison, promenait leurs chiens et cuisinait d'exquis repas qu'il leur servait dans la salle à manger aux murs peints en rouge carmin : il s'occupait d'eux comme une mère. Sa chambre était au premier étage, à l'autre bout du couloir par rapport à celle de David. J.P., devenu son assistant en chef, était comme un fils adulte et indépendant. Il vivait dans un studio au rez-de-chaussée et retournait souvent le week-end à Londres où il avait un appartement près de la gare de Saint-Pancras. Il conduisait toujours David à travers la campagne et celui-ci se sentait béni d'avoir trouvé un allié si patient, dont le regard s'était acéré au fil des années et que l'observation du paysage passionnait maintenant autant que lui. Un autre assistant passait quelques jours par semaine avec eux pour gérer les questions techniques et informatiques. Et puis il y avait Dominic, dit Dom, l'enfant de la maison – le jeune homme originaire de Bridlington que John avait rencontré à un barbecue quand il avait dix-sept ans et qui avait commencé à travailler pour David quand celui-ci peignait son immense tableau *De plus grands arbres près de Warter*. Il avait maintenant vingt-trois ans, avait arrêté l'université en deuxième année pour travailler à plein temps pour David, et apportait à l'équipe l'énergie et la fraîcheur de sa jeunesse. Sa joie quand David avait fait son portrait ou lui avait remis une clef de la maison, gage de la confiance qu'on lui accordait, lui rappelait l'enthousiasme de Byron, même si physiquement le blond Dom aux cheveux frisés et au corps de sportif ne ressemblait guère au brun et délicat Byron.

C'était une famille.

Et c'était plus que ça. Une communauté d'esprits et de corps libres. Dans un monde où l'individu était de plus en plus contrôlé par les médias, Internet et le gouvernement, David avait créé un îlot de liberté. Sa maison de Bridlington était le dernier refuge de la vie de bohème. Ils pouvaient fumer, boire, se procurer les paradis artificiels qu'ils voulaient du moment qu'ils ne faisaient de mal à personne. D'un commun accord John et David avaient mis fin à leur relation sexuelle quelques années plus tôt, quand David avait soixante et onze ans. John et Dominic étaient amants. Dom avait vingt-cinq ans de moins que John, tout comme John avait vingt-neuf ans de moins que David. Ce dernier ne pouvait plus boire, ni consommer de drogues dures, ni avoir d'érection digne de ce nom, mais, loin d'éprouver de la jalousie, il se réjouissait de cette transmission du désir sous son toit. La tolérance était une valeur en voie d'extinction. Les murs de briques de la maison aux fenêtres en encorbellement à trois minutes de la mer cachaient un paradis.

C'était une liberté difficile à préserver en vieillissant : l'âge vous enfermait dans des habitudes rigides et vous insufflait toutes sortes de peurs et de maniaqueries. David l'avait constaté récemment quand il avait dîné à New York avec Peter, pour la première fois depuis des années. Son ancien amant vivait toujours avec le Danois pour lequel il avait quitté David autrefois, et les deux hommes, plus jeunes que lui de dix ans, ne buvaient plus, ne fumaient plus, ne supportaient pas l'odeur de cigarette, mangeaient seulement bio, et gardaient l'œil sur la montre pour ne pas se coucher après dix heures du soir ! On aurait dit deux vieilles filles. En les quittant, il s'était demandé comment il avait pu être follement amoureux de cet homme-là.

Il vivait à Bridlington depuis neuf ans. Neuf ans de créativité sans pause. Il n'avait jamais connu de cycle aussi long, même en Californie. Monet avait vécu quarante-trois ans dans sa modeste maison de Giverny entre sa cuisinière, son jardinier, son étang et son merveilleux atelier : quarante-trois printemps et quarante-trois étés. David ne pouvait imaginer meilleure façon de vivre. Le bureau qui s'occupait de ses affaires se trouvait à Los Angeles et ouvrait à dix heures du matin, dix-huit heures à Bridlington : il passait de longues journées tranquilles, sans qu'aucun souci administratif ne vienne brouiller sa contemplation. Il travaillait sans relâche et ne sentait aucune fatigue. Un matin d'octobre, il alla chercher le journal en passant comme d'habitude par la vaste plage qui s'étendait vers l'est, bordée par les falaises blanches de Flamborough Head. Alors qu'il contemplait l'étendue grise et les rouleaux glacés de la mer du Nord, il sourit en se rappelant les mots de sa sœur : « Parfois je pense que l'espace, c'est Dieu. » C'était une idée aussi juste que poétique. Lui aussi ne se sentait heureux que lorsqu'il y avait de l'espace autour de lui. Il trébucha soudain, sans raison – il n'y avait pas de trou dans le sable, ni de pierre qui faisait obstacle –, tomba sans se faire mal et se releva. Après avoir acheté le journal, il rentra chez lui et s'aperçut qu'il ne pouvait plus finir ses phrases. Il fit le lien entre cette incapacité subite et sa chute sur la plage. John appela les secours qui arrivèrent en dix minutes à peine. Il avait eu une crise cardiaque. Pour la deuxième fois de sa vie John l'accompagna à l'hôpital, en lui tenant la main, en ambulance cette fois.

David mit des semaines, et même des mois, à pouvoir à nouveau parler normalement. Il était conscient de sa chance : sa main droite avait été épargnée. Elle était plus importante que la parole. C'était son deuxième infarctus, qui ne l'avait pas plus tué que le premier. Au lieu d'un cancer du pancréas comme ses amis Christopher, Henry et Jonathan, il avait été victime d'une simple pancréatite. Il était passé à travers les mailles du filet du sida. La mort jouait avec lui, le bousculait, mais au bout du compte elle se contentait de lui rappeler sa condition de mortel : le temps qui restait à peindre n'était pas infini.

Après avoir tant usé de la technologie, il eut à nouveau envie de se tourner vers une technique traditionnelle : le fusain. Il commença par dessiner la souche qui ressemblait à un totem : des vandales l'avaient récemment taillée en morceaux et couverte de graffitis. La profanation causa à David une tristesse que ses dessins en noir et blanc exprimaient. Le fusain était parfaitement adapté pour dépeindre la nudité de l'hiver, mais il se donna ensuite un défi : dessiner l'arrivée du printemps en noir et blanc, lui qui aimait depuis toujours les couleurs vives et fortes.

Fatigué par sa crise cardiaque et par la grande exposition de paysages qui venait d'avoir lieu à la Royal Academy, un immense succès populaire et critique, il se couchait à neuf heures du soir et se levait moins tôt qu'avant. Dans la voiture, assis près de J.P. qui lisait ou écoutait de la musique, il travaillait pendant des heures, extrêmement concentré. Il avait ralenti le rythme, mais la vie restait excitante à soixante-quinze ans, après deux infarctus.

Après avoir passé toute la journée dehors avec J.P. pour le deuxième jour consécutif, il n'avait qu'une envie : fermer les yeux et dormir. Le dessin demandait une immense concentration et épuisait ses muscles oculaires. Dans sa chambre il ôta ses appareils auditifs et, à peine allongé, sombra dans un sommeil dont il émergea près de dix heures plus tard. En entrant dans la cuisine au matin, il vit J.P. assis à la table, la tête entre ses mains, dans une pose qui ne lui ressemblait pas.

« Tu es déjà levé, mon chéri ? »

J.P. leva la tête. Il y avait une étrange expression sur son visage.

« David… »

Il reconnut la voix à l'instant. Une voix blanche, métallique. Il pensa à John et eut peur.

« Qu'est-ce qui s'est passé ?

— Dom… Dom est mort.

— Dom ? »

Impossible. Il l'avait vu dix heures plus tôt dans cette même cuisine, quand il était venu se chercher un verre d'eau juste avant de se coucher. Dom, penché dans l'entrebâillement du réfrigérateur, vêtu d'un tee-shirt et d'un caleçon qui dégageait ses cuisses de sportif couvertes de fins poils blonds, avait sursauté en entendant David et s'était retourné, une pomme et un yaourt dans les mains. Il l'avait prévenu qu'il ne serait pas là mardi car il avait un entraînement pour un match de rugby.

David s'assit. J.P. lui raconta les événements de la nuit. John et Dom avaient passé deux jours à boire et à se droguer. Dom avait réveillé John à quatre heures du matin pour lui demander de le conduire à l'hôpital. Il était pâle mais n'avait pas l'air de souffrir et avait été capable de s'habiller seul, si bien que John n'avait pas paniqué. Ils avaient quitté la maison vers cinq heures. Sur le chemin de l'hôpital, Dom avait perdu connaissance. On n'avait pas pu le réanimer. J.P. n'en savait pas plus.

« Où est John ?

— À l'hôpital. »

John rentra dans un état de sidération et dut être hospitalisé quelques jours plus tard. David et J.P. avaient vu la bouteille de déboucheur de toilettes dans le lavabo de la salle de bains, vide, et avaient compris que Dom s'était suicidé.

David se força à recommencer à dessiner. Seul le dessin le sortait de lui-même. L'art avait ce pouvoir. Son œil se concentrait sur un brin d'herbe, le monde disparaissait. En mai il dessina tous les jours, chaque nouvelle feuille, chaque nouveau bourgeon, chaque nouveau pétale, en noir et blanc. Puis il partit pour Londres avec J.P. Il ne pouvait plus rester à Bridlington, peuplé de souvenirs de Dom.

C'était la première mort depuis son ami de Los Angeles. La première en douze ans, quand il pensait qu'elle avait enfin relâché ses crocs. C'était aussi la plus horrible. Survenue sous son toit tandis qu'il dormait. Un enfant s'était détruit près de lui. Il n'avait rien vu, rien entendu. C'était la fin d'une vie. La fin de leur équipe, de leur famille, de la liberté, de la joie. Le monde moral sinistre, morbide, l'emportait. Au temps où l'épidémie de sida avait causé une hécatombe parmi ses amis, ils étaient tous des victimes. Ils ne voulaient pas mourir. Maintenant l'un d'eux, le plus jeune, s'était tué. Les nourrices myopes de l'Angleterre pouvaient se réjouir. Et tous les terroristes de la Terre.

David et J.P. partirent en Californie. La maison de Montcalm Avenue n'avait pas changé, avec ses couleurs vives, nichée dans une végétation tropicale si verte et si brillante qu'elle avait l'air d'avoir été peinte à l'acrylique. La Californie non plus n'avait pas changé, toujours aussi lumineuse, odorante et ensoleillée. C'était le même grand ciel bleu, indifférent aux tragédies. Il faisait bon se réveiller le matin et sentir la chaleur sur sa peau, descendre l'escalier bleu de Prusse vers la piscine miroitant sous le soleil au milieu des palmiers, des fuchsias, des agaves et des aloès. David ne quittait pas la maison et ne voyait personne. Il n'arrivait plus à peindre.

Assis sur la terrasse au plancher et à la balustrade bleu de Prusse, il revoyait Dom devant le réfrigérateur et l'expression de surprise sur son visage d'enfant quand il s'était retourné et avait aperçu David à l'entrée de la cuisine. Il entendait Dom lui dire qu'il ne serait pas là mardi car il avait un entraînement pour un match. Il se repassait en boucle la scène à laquelle il n'avait pas assisté. Dom se réveillant au milieu de la nuit dans le lit de John, marchant jusqu'à la salle de bains, attrapant la bouteille en plastique au pied des toilettes, pressant le bouchon de chaque côté avec deux doigts tout en le poussant et en tournant. Ce capuchon de sécurité qui protégeait les enfants d'une absorption accidentelle était comme un panneau avertissant d'un danger mortel. Dom était passé outre. Il avait porté la bouteille à ses lèvres et versé le liquide. Bu, comme de l'eau ou du whisky, l'acide sulfurique qui servait à déboucher les tuyaux. Dom buvant sa mort comme Socrate la coupe de ciguë. Le liquide jaune pâle n'avait-il pas brûlé instantanément ses lèvres, sa gorge et son œsophage ? Quand il s'était rendu à la salle de bains, était-ce pour pisser ou pour se tuer ? Le flacon de déboucheur lui en avait-il donné l'idée, comme le vide attire le promeneur en proie au vertige ? Avait-il regretté son geste dans la minute qui avait suivi l'absorption ? De toute évidence, puisqu'il était allé réveiller John pour qu'il l'emmène à l'hôpital. Cette idée horrifiait David. Il n'y avait pas de retour en arrière possible. Même si John avait appelé les pompiers, ils n'auraient rien pu faire. L'acide avait déjà accompli ses ravages. La perte de conscience était-elle arrivée avant la douleur, comme David l'espérait ?

Pourquoi la mort s'était-elle contentée de l'effleurer pour frapper à côté de lui un garçon de vingt-trois ans ? Pourquoi Dom avait-il été sacrifié ? Les questions tournaient en boucle dans son esprit.

Un jour il vit J.P. assis dans un fauteuil jaune avec des accoudoirs en bois, la tête entre les mains, dans la position exacte où David l'avait surpris en entrant dans la cuisine de Bridlington cinq mois plus tôt. Il eut l'envie soudaine de le peindre. Il lui demanda de ne pas bouger, alla chercher son carnet de croquis et se mit à l'œuvre.

Il souhaitait maintenant que des amis ou des connaissances lui rendent visite pour qu'il fasse leur portrait, assis dans le même fauteuil jaune à accoudoirs en bois, contre le même fond bleu-vert, encore plus lumineux que dans les aquarelles qu'il avait réalisées dix ans plus tôt, avant ses paysages. Il ne les représentait pas la tête entre les mains, comme J.P. Il peignait leur visage qui lui faisait face. Tant qu'il travaillait, il réussissait à ne pas penser à Dom. Ou plutôt, la pensée de Dom se transmuait en lignes, en traits, en coups de pinceau, en couleurs. Ces portraits des vivants ne recouvraient pas le mort ; ils étaient son tombeau.

Il était à nouveau sur les rails de la vie.

Capable de dessiner et de peindre les vivants. De préparer l'importante exposition qui ouvrirait en octobre au De Young Museum de San Francisco, et les nombreuses autres qui auraient lieu dans des galeries de Londres, de New York, de Los Angeles, de Paris, de Pékin… De dire au journaliste venu l'interviewer, au cinéaste venu le filmer pour un documentaire : « Je suis un optimiste. » Il avait soixante-dix-neuf ans. Sa surdité l'empêchait d'avoir une vie sociale normale : dès qu'il y avait plus de deux personnes dans une pièce, il n'entendait plus rien. Il ne sortait plus de chez lui sinon pour aller chez le dentiste, chez le docteur, à la librairie ou au magasin de marijuana. On lui avait attribué une carte de marijuana pour des raisons médicales, afin d'apaiser son anxiété – l'anxiété de ne plus avoir accès à la marijuana, songeait-il avec un sourire. Dans un an aurait lieu une rétrospective majeure à la Tate, qui voyagerait ensuite à Paris, au Centre Pompidou, puis au Metropolitan Museum de New York. Ce serait un parcours à travers six décennies de son œuvre. La préparation d'un tel événement impliquait un énorme travail. L'atelier de Montcalm Avenue se transforma à nouveau en ruche. David y passait ses journées avec ses assistants, plus actif que jamais.

Il contemplait son œuvre la plus récente tout en fumant son joint obtenu légalement. Inspiré par deux tableaux, l'un du Caravage et l'autre de Cézanne, le dessin fait sur iPad qu'il avait ensuite imprimé représentait trois hommes d'âge mûr en train de jouer aux cartes. Il avait placé sous cette impression les trois écrans sur lesquels il avait réalisé les portraits de ces hommes, et actionné une fonction de l'iPad qui permettait de rejouer à toute allure l'exécution du dessin depuis le premier trait jusqu'à son achèvement. David, comme le spectateur qui contemplerait bientôt cette œuvre, se voyait en train de dessiner sur un mode accéléré. Le trait se formait à toute allure, un visage apparaissait, la main changeait de direction, effaçait, tournait le visage dans l'autre sens, modifiait son expression. L'œuvre accrochée au mur face à lui représentait à la fois le dessin achevé et le mouvement de la création : c'était d'une cohérence absolue avec tout son travail. Demain il entamerait un autre projet : trois hommes en train de fumer. Du tabac ou de la marijuana ? Il n'y aurait pas d'odeur pour les trahir. Un peu de propagande ne ferait pas de mal. Une nouvelle idée se profilait déjà : peindre une Annonciation d'après Piero della Francesca. Une Annonciation californienne aux couleurs psychédéliques, comme son *Sermon sur la montagne* d'après le Lorrain. Célébrer la naissance, l'amour, le cycle de la vie, dans une explosion colorée. Après les sombres paysages au fusain de l'Angleterre, ce retour en Californie était un retour à la couleur la plus vive et la plus audacieuse.

Les portraits après les paysages. Le printemps après l'hiver. La main après la technologie. L'huile après l'aquarelle. La couleur après le fusain. La Californie après l'Angleterre. La joie après la tragédie. L'aube après la nuit. La création après le vide. Et ainsi de suite. Tout fonctionnait en alternance. Il n'y avait pas de réponse aux questions inutiles. Juste des cycles. La vie n'était pas une route droite avec une perspective linéaire. Sinueuse, elle s'arrêtait, repartait, retournait en arrière puis bondissait en avant. Le hasard, la tragédie faisaient partie du grand dessein. Le grand dessein et le dessin, n'était-ce pas la même chose ? La capacité à percevoir de l'ordre dans le chaos du monde. C'était cela qui attirait David dans l'art, cela qu'il aimait tant chez ses peintres préférés, Piero della Francesca ou Claude le Lorrain : l'équilibre complexe de couleurs et d'éléments opposés, la place de l'homme dans l'espace, le sentiment qu'il n'était qu'une petite partie du grand tout. L'artiste était le prêtre de l'Univers.

Il y avait une seule certitude : l'enfant, dès qu'il savait tenir un crayon, faisait une marque. Depuis le début des temps, l'homme tentait d'exprimer en deux dimensions son émerveillement devant un monde en trois dimensions. Ce n'était pas près de s'arrêter.

BIBLIOGRAPHIE SÉLECTIVE

(dans l'ordre d'importance pour ce roman)

Livres :

Hockney, David, *My Early Years*, Londres, Thames and Hudson, 1976

Hockney, David, *That's The Way I See it*, Londres, Thames and Hudson, 1993

Hockney, David, *Ma façon de voir*, sous la direction de Nikos Stangos, traduit de l'anglais par Pierre Saint-Jean, Paris, Thames and Hudson, 1995

Hockney, David, *Secret Knowledge : Rediscovering the Lost Techniques of the Old Masters*, Londres, Thames and Hudson, 2006

Sykes, Christopher Simon, *David Hockney : A Rake's Progress. The Biography, 1937-1975*, New York, Doubleday, 2011

Sykes, Christopher Simon, *David Hockney : A Pilgrim's Progress. The Biography, 1975-2012*, New York, Doubleday, 2014

Weschler, Lawrence, *True To Life : Twenty-Five Years of Conversations with David Hockney*, Berkeley – Los Angeles – Londres, University of California Press, 2008

Gayford, Martin, *Conversations avec David Hockney*, traduit de l'anglais par Pierre Saint-Jean, Paris, Éditions du Seuil, 2011

Ottinger, Didier (dir.), *David Hockney*, Paris, Éditions du Centre Pompidou, 2017

Rowley, George, *Principles of Chinese Painting*, Princeton, Princeton University Press, 1947

Livingstone, Marco et Heymer, Kay, *David Hockney : portraits de famille*, Paris, Thames and Hudson, 2016 (2003 pour l'édition anglaise)

Barringer, Tim et Devaney, Edith, *David Hockney : A Bigger Picture*, Londres, Royal Academy, 2012

Benefield, Richard, Weschler, Lawrence, Howgate, Sarah et Evans, Gregory, *David Hockney. A Bigger Exhibition*, Fine Arts Museum of San Francisco, 2014

Articles :

Fuller, Peter, « An interview with David Hockney », *Art Monthly*, Londres, novembre 1977, n° 12, p. 4-10

Kramer, Hilton, « The Fun of David Hockney », *The New York Times*, 4 novembre 1977

Bunyan, Nigel, « David Hockney assistant died after drinking drain cleaner, Inquest told », *The Guardian*, 29 août 2013

Hattenstone, Simon, « David Hockney : Just because I'm cheeky, doesn't mean I'm not serious », *The Guardian*, 9 mai 2015

Films :

Haas, Philip and Hockney, David, *A Day on the Grand Canal with the Emperor of China or : Surface Is Illusion But So is Depth*. Film, 46 minutes, 1988

Hazan, Jack, *A Bigger Splash, starring David Hockney*. Film, 105 minutes, 1975

Wright, Randall, *Hockney*. Film, 112 minutes, 2016

Je remercie pour leur lecture et leurs encouragements Luciana Floris, Mylène Abribat, Charles Kermarec, Hélène Landemore, Ben Lieberman, Mirjana Ciric, Gordana de la Roncière, Hilari Allred, Jacqueline Letzter, Wadie Sanbar, Rosine Cusset, Richard Hine, Alessandro Ricciarelli, Jennifer Cohen, Shelley Griffin, Catherine Texier, Nathalie Bailleux et Anne Vijoux.

Je remercie mon éditeur, Jean-Marie Laclavetine, ainsi qu'Antoine Gallimard pour leur indéfectible soutien.

DU MÊME AUTEUR

Aux Éditions Gallimard

LA BLOUSE ROUMAINE, *roman* (« L'Infini ») (Folio n° 5962).

EN TOUTE INNOCENCE, *roman* (Folio n° 3502).

À VOUS, *roman*. Édition revue par l'auteur en 2003 (Folio n° 3900).

JOUIR, *roman* (Folio n° 3271).

LE PROBLÈME AVEC JANE, *roman* (Folio n° 3501). Grand Prix des lectrices de *Elle* 2000.

LA HAINE DE LA FAMILLE, *roman* (Folio n° 3725).

CONFESSIONS D'UNE RADINE, *roman* (Folio n° 4053).

AMOURS TRANSVERSALES, *roman* (Folio n° 4261).

UN BRILLANT AVENIR, *roman* (Folio n° 5023). Prix Goncourt des lycéens 2008.

INDIGO, *roman* (Folio n° 5740). Prix littéraire d'Arcachon 2013.

UNE ÉDUCATION CATHOLIQUE, *roman* (Folio n° 6072).

L'AUTRE QU'ON ADORAIT, *roman* (Folio n° 6401). Prix Liste Goncourt / Choix roumain, Liste Goncourt / Choix belge, Liste Goncourt / Choix suisse, Liste Goncourt / Choix slovène 2016 et prix L'été en poche des blogueurs littéraires 2018.

VIE DE DAVID HOCKNEY, *roman* (Folio n° 6702). Prix Anaïs Nin 2018.

Dans la collection « Écoutez lire »

INDIGO.

L'AUTRE QU'ON ADORAIT.

Aux Éditions du Mercure de France

NEW YORK, JOURNAL D'UN CYCLE, *récit* (Folio n° 5279).

Aux Éditions Champion

LES ROMANCIERS DU PLAISIR, *essai.*

Aux Éditions Dialogues

LE CÔTÉ GAUCHE DE LA PLAGE, *récit,* illustrations d'Alain
Robet.

COLLECTION FOLIO